Tratado sobre o regime e o governo da cidade de Florença

Dados Internacionais de Catalogação na Publicação (CIP)
(Câmara Brasileira do Livro, SP, Brasil)

Savonarola, Girolamo, 1452-1498.
Tratado sobre o regime e o governo da cidade de Florença / J. Savonarola ; tradução de Maria Aparecida Brandini De Boni e Luís Alberto De Boni ; introdução de Newton Bignotto. – Petrópolis, RJ : Vozes, 2019. – (Vozes de Bolso)

Título original : Tratatto cerca il regimento e governo della città di Firenze.
ISBN 978-85-326-6076-3

1. Filosofia política 2. Florença (Itália) – Política e governo – Obras anteriores a 1500
3. Igreja Católica – Sermões – Obras anteriores a 1500
I. Bignotto, Newton. II. Título. III. Série.

19-24201 CDD-320

Índices para catálogo sistemático:
1. Ciências políticas 320

Maria Alice Ferreira – Bibliotecária – CRB-8/7964

J. Savonarola

Tratado sobre o regime e o governo da cidade de Florença

Tradução de Maria Aparecida Brandini De Boni e Luís Alberto De Boni

Introdução de Newton Bignotto

Vozes de Bolso

Título do original em italiano: *Tratatto circa il reggimento e governo della città de Firenze*

Rua Frei Luís, 100
25689-900 Petrópolis, RJ
www.vozes.com.br
Brasil

Diagramação: Sheilandre Desenv. Gráfico
Revisão gráfica: Nilton Braz da Rocha / Nivaldo S. Menezes
Capa: Ygor Moretti
Ilustração de capa: © Depositphotos

ISBN 978-85-326-6076-3

Editado conforme o novo acordo ortográfico.

Este livro foi composto e impresso pela Editora Vozes Ltda.

Sumário

Introdução

No ano de 1498, meses antes de sua morte, Savonarola fez um de seus últimos sermões ao povo florentino, repetindo alguns dos temas que durante anos haviam fascinado e dividido os habitantes da cidade. Apesar da firmeza de suas palavras e da constância de sua pregação, Savonarola sabia do perigo que corria e talvez intuísse seu fim. Há muito ele acreditava que o destino dos profetas é o martírio; morrer pelas mãos dos infiéis soava quase como a confirmação de suas profecias; Savonarola o desejava ardorosamente. Em suas *Prediche sopra l'Esodo* ele dizia:

> "E digam, pois, a Roma, que aquele frade que está em Florença, junto com os seus, quer lutar contra ela, contra os turcos, contra os pagãos, e queremos morrer e ser martirizados. Tenho um grande desejo de ser martirizado por ela. Senhor, concedei-me esta Graça! Acreditas, Roma, amedrontar-me, eu não tenho medo nenhum"[1].

O último ano da vida do monge de São Marcos foi marcado pelas ameaças e pelas disputas. A autoridade que ele adquirira nos primeiros anos de suas pregações se esvaía nas lutas cada vez mais ferozes entre seus partidários – os frateschi – e seus adversários – os arrabbiati. Se num primeiro momento as pregações pela paz haviam transformado Savonarola no mediador de todos os conflitos, a atitude belicosa de seus seguidores, e sobretudo os riscos que ele representava para Florença depois de sua excomunhão, o transformaram no alvo de todos os ataques.

No meio desse turbilhão, que prenunciava a tragédia de maio de 1498, um jovem passeava seus olhos irônicos e escrevia para seu amigo ávido por notícias de Florença:

> "Encontrando-se, pois, o nosso frade em sua casa, deverias ver com que audácia ele começou a pregação, com que audácia ele a continuou, o que é motivo de admiração, pois, duvidando de sua própria força e sabendo que a nova 'Signoria' não hesitaria em atacá-lo, tratou de comprometer o maior número possível de cidadãos e arrastá-los consigo em sua ruína. Começou narrando grandes horrores, com argumentos que aos tolos parecem eficazes; mostrou serem excelentes seus seguidores e celerados seus adversários, usando todos os termos necessários para enfraquecer o partido adverso e fortalecer o seu"[2].

Quinze anos mais tarde, este mesmo jovem iria tratar Savonarola de "profeta desarmado" e criaria, através de análises precisas e penetrantes, uma imagem do monge da qual mesmo seus seguidores posteriores não conseguiriam se desvencilhar. Já no século XIX, Francesco De Sanctis resumiu a ironia maquiaveliana em uma frase lapidar, que desde então é o ponto de passagem de todos aqueles que se interessam pelos trabalhos do frade; ele dizia: "Savonarola foi o último raio de um passado que se escondia no horizonte; Maquiavel foi a aurora precursora dos tempos modernos. Um, o último tipo do velho homem medieval; o outro, o primeiro tipo do homem moderno"[3].

Se os grandes especialistas nunca deram às constatações de De Sanctis um valor exagerado, se eles cedo perceberam que a complexidade do pensamento savonaroliano não podia ser desvendada pela força simplificadora de suas belas fórmulas, muitos acabaram prisioneiros da dicotomia que ele tão bem iluminou: Maquiavel, Savonarola[4]. Certamente pensar Savonarola a partir das críticas maquiavelianas é um caminho fecundo e interessante, mas talvez - pela grandeza dos dois personagens - nos conduza a deixar de lado o debate extremamente rico que Savonarola travou com as mais diversas correntes de pensamento do final do "quattrocento", para nos levar a analisar apenas o conteúdo teórico dos tratados especificamente políticos do frade e as críticas ferozes a que ele foi submetido pelo secretário da república florentina.

Em Savonarola certamente ecoam velhas crenças medievais, velhos temores e antigas esperanças; mas como poderia ele ter influenciado tão profundamente seus contemporâneos, se eles tivessem sido surdos a esses ecos? Talvez seja melhor pensar que a Florença renascentista guardava ainda os traços da antiga comuna medieval, de sua liberdade como de sua fé, que na mente de seus intelectuais ainda moravam antigas crenças, que povoavam o universo de linhas harmoniosas e de terríveis castigos divinos[5]. Terreno fértil para a pregação de um monge, que tendo sido capaz de absorver muito da cultura humanista, sem nunca aderir a ela, foi o porta-voz eficaz dos desejos de renovação e redenção que povoavam a Itália.

Refazer, assim, ainda que de maneira breve, o percurso intelectual de Savonarola, é uma maneira de compreender sua obra, sem se deixar aprisionar pelas imagens estereotipadas que a deformam.

A formação do profeta

Savonarola decidiu-se pela vida religiosa alguns meses antes de completar 23 anos, em 1475.

Esta conversão, resultado, segundo alguns biógrafos, de uma profunda crise espiritual, poderia, de acordo com Ridolfi[6], ter sido provocada pela recusa da jovem Laudomia a seu pedido de casamento. Seja qual for, no entanto, o papel que a decepção amorosa possa ter tido na decisão do futuro frade de entrar para a ordem dos monges pregadores, o certo é que Savonarola manifestou muito cedo sua vocação para a vida monástica. Na carta de 25 de abril de 1475, na qual explica a seu pai sua decisão, ele justifica sua "fuga do mundo" pela "grande miséria, pela iniquidade dos homens, pelos estupros, pelos adultérios"[7], que dominavam a terra; sem aludir a problemas pessoais. A carta confirma, aliás, o que o jovem ferrarense já havia dito num poema – *De Ruína Mundi* – datado de 1472. A Igreja estava em ruínas, a luxúria dominava o mundo, um terrível castigo se anunciava no horizonte de uma Itália devastada[8]. Era preciso fazer algo pela redenção.

O período de aprendizado de Savonarola foi marcado por sua passagem pela Universidade de Bolonha e terminou em 1482, quando foi nomeado "leitor" no Convento de São Marcos em Florença. Nessa época ele era um monge obcecado pela ideia da corrupção, pela espera do castigo divino e pela certeza de que só a entrega total a Cristo poderia salvar a Itália dos males que a afligiam. Seu pensamento não tinha então nada de original; repetia as denúncias contra a Igreja e se ligava diretamente às correntes apocalípticas, que anunciavam para breve a vinda do anticristo. Assim como muitos de seus contemporâneos, Savonarola viveu o ano de 1484 – o *annus mirabilis* – esperando a confirmação das profecias, que anunciavam o começo da renovação da Igreja. Nesse ano, segundo Annio de Viterbo[9], como segundo o cálculo dos astrólogos, eventos extraordinários deveriam anunciar o fim do mundo. Nesse ano Savonarola sentiu que suas palavras poderiam ser mais do que as de um simples pregador, poderiam ser as de um profeta[10].

Ao descobrir sua vocação profética, o monge de Ferrara decidiu-se pela continuação de suas pregações, que ele estivera perto de abandonar devido ao pouco sucesso de suas palavras[11]. Essa decisão implicou no aprofundamento de sua visão apocalíptica e na aproximação com as várias correntes milenaristas que, mais ou menos influenciadas por Joaquim de Flora, oscilavam entre uma visão otimista do "millenium", segundo a qual depois dos castigos viria uma época de paz e alegria, e uma visão pessimista, segundo a qual aos castigos se seguiria o juízo final. Savonarola não chegou a escolher nenhum dos dois caminhos em seus sermões de 1484 a 1490, mas o mais importante é que ele não fez nenhuma referência a Florença nesse período. Ele era então o profeta de toda a Itália, preocupado com as misérias de seu tempo.

Savonarola e Florença

Savonarola voltou para Florença em 1490, por intervenção direta de Lorenzo de Médicis, que decidiu aceitar os conselhos de Pico della Mirandola e chamar de volta o pregador que parecia capaz de dar ao Convento de São Marcos, ao qual a Família Médicis sempre fora extremamente ligada, o brilho do começo, quando nele despontava a personalidade serena de Antonino[12].

Por ocasião de sua volta, o monge encontrou Florença mergulhada na febre apocalíptica. O terreno lhe pareceu propício para suas pregações, como ele se recordaria mais tarde em seu *Compedium Revelationum:*

> "Deus Todo-poderoso, vendo que os pecados se multiplicavam na Itália, sobretudo entre os príncipes e os

> prelados, e não podendo suportar mais tempo a situação, resolveu infligir um castigo terrível à Igreja [...]. Quis anunciar o castigo à Itália, para que seus eleitos, prevenidos, pudessem sofrê-lo serenamente. Ele escolheu Florença como teatro das pregações, para que desta cidade, situada no centro da Itália, como o coração no corpo humano, a mensagem pudesse se propagar mais facilmente pelo resto da península, como vemos hoje em dia"[13].

Nos anos que se seguiram, Savonarola baseou suas pregações em três pontos principais: a renovação da Igreja, a certeza de que Deus enviaria um terrível castigo e de que o fim estava próximo. Na verdade não havia nisso tudo nenhuma novidade com relação aos outros pregadores que nas diversas igrejas da cidade exortavam o povo a abandonar os vícios terríveis que devoravam as entranhas da Itália. Ao lado de pregadores como Domenico da Ponzo, ou de Bernardino da Feltre, Savonarola era mesmo comedido em suas palavras. O certo é que no período que vai de 1492 a 1494, assistimos não só ao amadurecimento da mensagem profética do monge de São Marcos, mas sobretudo à sua aproximação dos temas típicos da cultura florentina. Até 1492, como observa Weinstein[14], Savonarola atacava a tirania e criticava as injustiças sociais sem visar ninguém em particular. Ele se valia, ao contrário, de suas boas relações com os Médicis para forçar a Igreja Romana a aceitar a separação do Convento de São Marcos da Congregação Lombarda, o que ele conseguiu em 1493 com a ajuda de Piero de Médicis.

A mensagem do frade ascético e preocupado com a salvação do mundo caiu, no entanto, em solo fértil. Enquanto ele atacava os homens de seu tempo, Savonarola foi descobrindo que Florença se via como uma cidade especial desde o final do “trecento”. Já no século XIV os florentinos encaravam os destinos de sua cidade como os de uma nova Roma, os poetas cantavam a liberdade[15], que seria mais tarde teorizada pelos humanistas[16]; todos se juntavam na convicção de que Florença era mais do que uma simples cidade. Ao aspecto puramente político do “mito de Florença”, juntava-se o aspecto religioso. Com o crescimento das esperanças de renovação da Igreja, os poetas florentinos passaram a reivindicar para a cidade, não só o privilégio de abrigar a alma republicana da Itália, mas também a da nova Igreja. Dos tormentos que se seguiriam às invasões dos espanhóis e dos infiéis, Florença sairia engrandecida e vitoriosa[17].

Quanto mais Savonarola se aproximava de Florença, mais sua mensagem se transformava em uma visão milenarista. O profeta que condenava a filosofia pagã foi pouco a pouco se aproximando dos humanistas florentinos, fazendo seus os temas típicos desses homens preocupados com a luta entre a “fortuna” e a “virtù”, com a criação de uma forma estável de governo. Ao mesmo tempo que ele anunciava, “sob a inspiração de Deus, que um rei passaria os Alpes, para vir à Itália, e que ele seria parecido com Ciro”; e que de nada adiantariam as defesas existentes, pois a Itália seria batida; ele predizia um destino glorioso para Florença. Na crise de 1494, o profeta se fez homem político.

Antes, no entanto, de analisar a intervenção de Savonarola na crise que acompanhou a invasão francesa de 1494, é preciso compreender o papel que a profecia tinha no seu pensamento. Ele mesmo declarava:

> “... durante os primeiros anos eu anunciava as coisas futuras me apoiando somente nas provas da Santa Escritura, em razões humanas e em diversas parábolas, porque o povo não esta-

va ainda bem preparado. Em seguida, comecei a mostrar que tinha conhecimento das coisas por uma luz diferente daquela da inteligência dos livros santos"[18].

Para Savonarola a profecia, como todas as ações humanas, se desenvolve no "cosmos", que ele associa ao mundo finito dos gregos[19], mas é dominado pela luta do bem e do mal. Os homens vivem espremidos entre o paraíso e o inferno e suas vidas são o espelho desse conflito. "E como o meio participa sempre da natureza dos extremos, sempre se vê que muitos se aproximam de um dos extremos, a saber, o paraíso ou o inferno, com obras boas ou más"[20].

De um modo geral, no entanto, a "natureza terrestre" dos homens – "o homem, como ser terrestre, busca a terra e por isso a maioria busca a condenação"[21] –, assim como a debilidade da razão natural – "porque o pecado de nosso pai Adão fez com que a luz da razão natural ficasse muito debilitada"[22] –, explica por que nossa vida aqui na terra esteja muito mais próxima do inferno do que do paraíso. Nessa situação, o conhecimento humano derivado unicamente do esforço racional não é capaz de nos unir a Deus. É preciso a fé, mas, sobretudo, é preciso conhecer a vontade divina. O profeta é o meio através do qual Deus nos dá a conhecer seus desejos e sua ira. Como intérprete iluminado da palavra divina, o profeta não tem outro mérito do que o de ter sido escolhido por Deus para ecoar suas vontades. Assim como a graça para Santo Agostinho é fruto de uma escolha "gratuita" aos olhos dos homens, o profeta é apontado por Deus sem que nos seja possível estabelecer um laço causal entre sua função e seus conhecimentos humanos.

Savonarola concluía daí que a profecia tem sua origem diretamente em Deus e somente por isso ela pode ser uma visão antecipada do futuro, que só o saber divino alcança. Ele opunha-se assim às explicações naturalistas[23], para as quais a profecia era o fruto de um esforço filosófico e da intervenção divina. A posição de Ficino era ainda nuançada pelo seu desejo de conciliar filosofia e religião; Savonarola parecia se defender da posição extrema, a que seria mais tarde adotada por Pomponazzi, excluindo qualquer intervenção direta de Deus nos negócios do mundo, embora Ele fosse a causa última de tudo[24].

Fazendo da profecia o resultado da intervenção direta de Deus no mundo, o monge de São Marcos conferia um valor especial às suas predições. Quando muitas delas se verificaram em 1494, ele se transformou no profeta de Florença.

A crise de 1494 e a República Florentina

A invasão francesa da Itália em 1494 pôs fim à dominação dos Médicis em Florença e confrontou a cidade com a possibilidade de ser saqueada. Savonarola, que havia predito a vinda do novo Ciro, interveio junto a Carlos VIII, para evitar o massacre – "Eu comecei a esperar vivamente que minha profecia não seria absoluta, e que se o povo florentino fizesse penitência, Deus diminuiria o rigor de seu julgamento"[25].

Vitorioso em sua tarefa da salvar a cidade, o monge retornou a Florença, quando as lutas políticas ameaçavam transformá-la num novo campo de batalhas. Apesar da natureza dos conflitos que eclodiam, Savonarola, convencido da verdade de suas predições anteriores, continuou a exortar a povo florentino à devoção e à penitência: "De retorno à cidade, recomendei de novo a todo o povo que se dedicasse sem tréguas à penitência e às orações, pois era certo que a misericórdia divina o havia livrado dos maiores perigos"[26].

Apesar da aproximação de Savonarola aos temas típicos da cultura florentina, seus sermões permaneceram no campo estritamente religioso até o final de 1494. Suas concepções apocalípticas foram lentamente sendo transformadas por sua visão milenarista; Florença, que antes era lembrada apenas por seus pecados, foi pouco a pouco sendo chamada a exercer um papel decisivo na renovação da Igreja. A antiga Sodoma estava destinada a ser a Nova Jerusalém, mas a nova Roma teve uma gestação bem mais lenta do que a pátria do novo mundo.

Em seu sermão do dia 10 de dezembro de 1494, Savonarola anunciou de maneira explícita que Deus escolhera Florença para comandar o processo de renovação da Igreja. Esse sermão marcou também de maneira decisiva a entrada do monge nos debates políticos em curso. Savonarola falou então da grandeza futura da cidade – "Anuncio essa boa-nova à cidade: Florença será mais gloriosa, mais rica, mais poderosa do que jamais"[27] –, mas ele não abandonou por isso o campo religioso e associou à grandeza material a força espiritual. A partir de então o monge ascético se converteu num líder político poderoso, sem que seu discurso tenha perdido o tom profético e que suas convicções religiosas tenham se transformado. O que assistimos não foi assim a uma mudança nas preocupações de Savonarola, mas a uma fusão entre suas esperanças milenaristas e o processo político que transformava a face da cidade.

Nesses dias agitados de dezembro o pregador expôs quase todas as ideias políticas que viriam a constituir o núcleo de seu pensamento. Falou da paz – "... a paz universal deve ser conseguida da seguinte maneira: deixai de lado todo o ódio e o rancor e faça-se a paz em todas as coisas que foram produzidas anteriormente a esta mutação política"[28]; fez a crítica da tirania – "Deveis estar atentos, sobretudo, para que ninguém se torne chefe ou superior aos demais habitantes da cidade"[29]; e, por fim, pediu aos florentinos que copiassem o modelo constitucional veneziano – "A forma que começastes a erigir não pode durar se não a reordenardes melhor; creio que a melhor é a dos venezianos e deveis seguir-lhes o exemplo, deixando de lado o que for estrangeiro aos vossos propósitos e necessidades, como é o caso do Doge"[30].

Savonarola concebia as mudanças políticas, no entanto, sob a égide da filosofia cristã, particularmente a de Santo Tomás. Assim, se aderiu à tradição republicana florentina, ele o fez porque acreditava que Florença tinha uma natureza diferente, mas não porque deixasse de acreditar que a monarquia fosse o melhor regime. Para conciliar as duas tradições, ele lançava mão de uma teoria engenhosa que, respeitando a especificidade republicana da cidade, fazia dela uma monarquia governada por Deus. "Vê, Florença, Deus quer te contentar e dar-te um chefe e um rei que te governe; e este é o Cristo"[31].

Embora Savonarola tivesse aderido a muitas das ideias políticas correntes na época, e tivesse se colocado em sintonia com o desejo de muitos dos grupos políticos atuantes, ele continuou a pensar e a agir como um pregador que via na política um meio para atingir certos fins religiosos. Sua obra não pode, pois, ser confundida com a dos humanistas, mas seria impossível compreender sua influência sobre os destinos da cidade se ele tivesse sido apenas o "último pensador medieval" a habitar a pátria da modernidade. Quando no final de 1494 Florença adotou uma nova constituição, consagrando a forma republicana e a ampla participação do povo nos negócios do Estado através do "Consiglio Maggiore", Savonarola se converteu no grande líder da cidade.

As modificações profundas que se seguiram à queda dos Médicis foram atribuídas por alguns intérpretes quase exclusivamente a Savonarola. Segundo eles, sem a intervenção direta do monge as disputas entre as facções teriam levado ao colapso das instituições e provavelmente a uma nova tirania[32]. Se podemos admitir que o prestígio de Savonarola, devido tanto à realização de suas profecias, quanto a sua força moral, foi essencial para a eficácia de suas intervenções, não podemos deixar de lado que no mês de dezembro de 1494 ele se aproximou das mais antigas aspirações dos republicanos florentinos. Quando os Médicis subiram ao poder em 1434, Cosimo encontrou uma cidade marcada pela tradição republicana e pelo orgulho de sua liberdade. Desde a crise do começo do século XV, os florentinos haviam se acostumado a pensar Florença como a rainha das cidades livres e a orgulhar-se de seu destino especial[33]. A cidade consolidou então um regime livre, mas aristocrático, que, abrindo-se à participação dos segmentos mais ricos da população, evitava cuidadosamente a entrada nos negócios públicos dos artesãos e dos trabalhadores mais pobres. Essa situação paradoxal, de uma república que excluía de suas instituições uma parte significativa da população, pôde ser sustentada graças à habilidade de escritores como Leonardo Bruni que, ressaltando o aspecto da liberdade compreendida como independência em relação às potências estrangeiras, deixavam nas sombras a discussão sobre a participação dos cidadãos nos órgãos deliberativos.

Cosimo de Médicis foi hábil o suficiente para conservar intactas as instituições republicanas, esperto o bastante para governá-las de sua casa. Uma parte da aristocracia não tardou a compreender que da adesão ao mando dos Médicis dependia sua sobrevivência como classe dominante. A radicalização das posições pró-medicianas levou ao conflito direto com os oligarcas, que haviam permanecido fiéis aos princípios republicanos. Se com o correr dos anos eles foram sendo banidos ou derrotados, permaneceu vivo, como demonstra a revolta dos Pazzi em 1478, o espírito de revolta contra uma família que usurpara o poder. Os próprios intelectuais, que no começo do século se haviam contentado com o elogio ingênuo da liberdade, perceberam que para conquistá-la era preciso algo mais do que a rememoração de um passado glorioso. A obra de Rinuccini ilustra com vigor a transformação do pensamento republicano florentino[34].

Quando Savonarola intervém, portanto, a favor do regime republicano em 1494, ele penetra num terreno minado. Se quase todos estavam de acordo em banir os Médicis da vida política, a escolha do novo regime reacendia velhas disputas. De um lado uma facção dos "ottimati" queria retornar à situação anterior a 1434, garantindo para si o comando da cidade. A facção mais popular, temperada pelos anos de dominação dos Médicis, sabia que só a participação efetiva de todos os cidadãos nos mecanismos de decisão livraria Florença de um governo oligárquico ou mesmo de uma nova tirania. Savonarola, ao propor a criação de um "Consiglio Maggiore", satisfazia os desejos dos republicanos mais sinceros; ao propor a "paz universal", salvava do exílio um bom número de cidadãos, que certamente seriam punidos segundo uma velha tradição florentina. Ocupar essa posição de aparente equilíbrio foi sua grande ilusão. Tragado pelo jogo político, ele não mais seria tratado com a benevolência irritada com a qual Lorenzo de Médicis recebia seus ataques, mas com a fúria dos que não mais viam nele o profeta inspirado, mas sim o adversário feroz.

O Tratado

O *Trattato circa il reggimento e governo della città di Firenze* foi publicado poucas semanas antes da morte de Savonarola. Escrito a pedido da última "signoria" que simpatizou com suas ideias, o *Tratado* se transformaria num escrito muito mais importante do que um simples panfleto destinado a explicar ao maior número de pessoas a natureza do regime florentino, como pretende o autor na introdução. Na verdade, Savonarola concentrou em poucas páginas as ideias políticas que vinha defendendo ao longo dos últimos quatro anos, dando-lhes consistência teórica e integrando-as à base de seu pensamento milenarista. Para compreender o lugar que o *Tratado* ocupa no pensamento de Savonarola e seu caráter sintético, talvez fosse interessante compará-lo à sua primeira obra política – *De Politia et Regno* – escrita por ocasião de sua primeira estadia em Florença, provavelmente em 1484[35].

O *De Politia et Regno* é um tratado político de clara influência tomista[36]. Ele parte da afirmação da sociabilidade natural dos homens, para se concentrar logo em seguida na análise da melhor forma de governo. Para Savonarola, no rastro de Santo Tomás, é evidente que a monarquia é o único regime capaz de promover o pleno desenvolvimento das potencialidades humanas. Mas não se trata de uma monarquia qualquer e sim de uma monarquia baseada na agricultura. Para o monge de Ferrara, o comércio é a fonte da corrupção de todas as cidades e por isso ele acreditava que a limitação do contato entre os povos pode garantir a paz e a tranquilidade. Ele concebe o rei como "um chefe que governa de acordo com os interesses da comunidade e seu governo traz muitos benefícios para a comunidade". Mais à frente ele completa: "... entre os cidadãos e o rei impera a mais pura amizade, num ambiente de segurança recíproca e de muitas riquezas"[37]. Ainda seguindo Santo Tomás, Savonarola critica violentamente a tirania, que ele caracteriza como o reino dos desejos abjetos de um só.

Mesmo uma análise superficial desse primeiro Tratado mostra que, na época em que ele foi escrito, Savonarola se preocupava muito pouco com a situação política florentina. Embora ele fale explicitamente da cidade e de Veneza em seus exemplos históricos, a simples condenação do comércio mostra que ele não via em Florença o modelo de cidade a ser seguido. Suas considerações são quase todas comentários de passagens do *De Regimine Principum* de Santo Tomás, sem nenhuma preocupação original.

O *Tratado sobre o regime e o governo da cidade de Florença,* ao contrário do *De Politia et Regno*, tem por objeto o regime político florentino instalado desde 1494 e procura dar fundamento teórico às escolhas que foram feitas no calor das discussões.

No primeiro Tratado, Savonarola repete Santo Tomás, analisando a origem das comunidades políticas e deduzindo, a partir de considerações sobre a natureza humana, "que o governo das coisas humanas, quando dirigido por um só, é por sua natureza o melhor dentre todos os governos"[38]. Se essa afirmação repete o argumento que já fora desenvolvido antes, Savonarola muda completamente o rumo do texto quando, no terceiro capítulo, ele afirma que a natureza especial da cidade de Florença faz que ela não possa escolher outro regime senão aquele que ela "escolheu antigamente": o governo civil. Savonarola entende por governo civil o governo republicano, onde todos os cargos são eletivos e ocupados por pouco tempo por cidadãos considerados elegíveis; mas ele evita entrar em detalhes sobre os mecanismos governamentais, para se lançar, no segundo livro, numa crítica feroz da tirania.

O caminho teórico percorrido por Savonarola no primeiro livro coincide com sua trajetória pessoal. O monge, influenciado pelo tomismo, foi pouco a pouco dando forma a suas visões e fazendo de Florença o objeto de suas preocupações. Seu pensamento político foi assim formado pelo encontro entre sua profunda fé religiosa, seus anseios milenaristas e apocalípticos e a tradição republicana florentina. Se essa síntese pode hoje nos parecer contraditória, ela espelhava com perfeição os dilemas da sociedade na qual ele vivia.

No segundo livro do *Tratado*, ao analisar a tirania, Savonarola repete o movimento que caracteriza toda sua obra política. Partindo da crítica medieval aos tiranos, ele termina por mostrar como seria nefasta para Florença a dominação de um só. Num primeiro momento, ele caracteriza o tirano como "homem de má vida, e péssimo entre todos os homens, que pela força quer reinar sobre todos"[39]. Em seguida ele se dedica a retratar o tirano como um ser terrível, distante de todos os parâmetros de civilidade, incapaz de qualquer gesto de humanidade. Esse ser nefasto "é péssimo em toda a cidade e província, parece-me, querendo nós falarmos como cristãos, que isto é principalmente verdadeiro na cidade de Florença"[40]. Cumpre-se assim o mesmo movimento do primeiro livro, que conduz de uma constatação geral à análise do caso florentino, considerado pelo monge como o paradigma da cidade republicana cristã.

Na verdade, não havia nenhuma novidade na oposição das repúblicas às tiranias utilizada por Savonarola. Desde Salutati os humanistas fizeram do combate à tirania a mola mestra da propaganda republicana. Servindo-se do exemplo dos casos extremos dos tiranos de Milão, homens como Leonardo Bruni, Matteo Palmieri e outros procuravam mostrar que as instituições florentinas eram as únicas capazes de livrar os cidadãos dos horrores do governo de um só. Essa estratégia era interessante, de um lado, porque exprimia o jogo político italiano; de outro, porque permitia que os defensores do campo republicano deixassem de lado as discussões espinhosas sobre a natureza dos mecanismos de participação, para que se concentrassem apenas nas críticas à violência da tirania.

Savonarola inova nesse terreno, porque, além de exigir a adoção de leis que respeitem a liberdade dos cidadãos, associa a essa exigência o culto da verdadeira religião. Falando assim das virtudes cristãs, ele não se restringe a mostrar que elas são essenciais para a salvação da alma; mostra que elas têm uma eficácia indubitável no combate político. "Estas coisas todas impedem e destroem o governo tirânico, pois nada existe que o tirano mais odeia que o culto a Cristo e o bem viver cristão, que lhe são exatamente o contrário, e um contrário procura expulsar o outro"[41].

O projeto político de Savonarola é assim antes de tudo um projeto religioso. No terceiro livro do *Tratado,* ele debate longamente a constituição de um "Consiglio Maggiore" que, garantindo a participação de todos, sirva ao mesmo tempo como elemento estabilizador da vida política. Ele fala das leis a serem promulgadas, das condições de participação, das limitações, para concluir: "Sendo, pois, tal governo mais de Deus do que dos homens, ganharão a felicidade terrena, a espiritual e a eterna aqueles cidadãos que, com grande zelo da honra de Deus e do bem comum, observando as normas acima indicadas, se esforçarem quanto puderem para levá-lo à perfeição"[42]. Mas a importância conferida pelo monge à religião não deve nos enganar. Savonarola não propõe uma tirania das virtudes, ele não quer fazer do espaço público um espaço meramente religioso. O que há de mais interessante em seu pensamento é que, sem abandonar suas convicções, sem deixar de desejar ardorosamente a reforma da Igreja, ele busca um caminho que concilie suas esperanças milenaristas com a longa tradição republicana florentina. Se as maiores recompensas às quais podiam aspirar os florentinos são de natureza espiritual, Savonarola nunca deixou de lado a glória e a expansão material que se seguiriam à criação da nova Jerusalém. Deus recompensa não só com a paz e a alegria, mas também com o aumento do Império.

O fracasso de Savonarola foi, portanto, o de um profeta que não soube ver as limitações de seu projeto religioso, que não soube compreender as sutilezas da política italiana; mas ele foi também o prenúncio do fracasso das pequenas repúblicas italianas que, tendo sido incapazes de superar as crises institucionais e perceber as profundas mudanças econômicas e sociais que transformavam a face da Europa, não puderam resistir ao impacto da formação das nações modernas.

Newton Bignotto

Tratado sobre o regime e o governo da cidade de Florença

Introdução

Magníficos e excelsos senhores:

Muitos homens que primam pelo engenho e a doutrina escreveram longos textos e com grande sabedoria a respeito do governo das cidades e dos reinos, por isso pareceu-me coisa supérflua compor outros livros de matéria semelhante, não sendo isso nada mais que multiplicar os livros sem utilidade. Como, porém, vossas senhorias me pedem, não que eu escreva sobre o governo dos reinos e das cidades em geral, mas que particularmente trate do novo governo da cidade de Florença, no que a mim se refere, deixando de lado toda alegação e superfluidade de palavras e com a maior brevidade possível, não posso honestamente negar tal coisa, sendo convenientíssimo ao nosso estado e útil a todo o povo e necessário ao meu ofício atual.

Durante muitos anos, pela vontade de Deus, preguei nesta cidade, atendo-me a quatro temas: esforcei-me com toda minha inteligência para provar que a fé é verdadeira; para demonstrar que a simplicidade da vida cristã é suma sabedoria; para denunciar as coisas futuras, das quais algumas vieram e outras virão certamente; e, por último, preguei sobre o governo desta cidade.

Já coloquei por escrito os três primeiros temas, dos quais, porém, ainda não publiquei o terceiro livro, intitulado *Sobre a verdade profética*. Resta, pois, escrever sobre o quarto tema, para que todo mundo veja que prego uma ciência sã, em concordância com a razão natural e com a doutrina da Igreja.

Era minha intenção escrever sobre esta matéria em língua latina tal como foram compostos os três primeiros livros; e discorreria sobre como, quanto e quando cabe a um religioso tratar de coisas seculares e envolver-se nelas. Não obstante, pediram-me vossas senhorias que, para maior utilidade comum, eu escreva em língua vulgar e brevemente. Ora, como são poucos os que entendem o latim, em comparação com os homens que não o entendem, não me aborrece compor primeiro este tratado e depois, quando estiver mais livre das ocupações presentes, comporei a obra em latim, com a graça que me concederá o onipotente Deus. Por primeiro, tratarei brevemente do ótimo governo da cidade de Florença; segundo, do péssimo, porque, sendo necessário que antes se exclua o mal e depois se construa o bem, contudo, como o mal é privação do bem, não se poderia compreender o mal se antes não se entendesse o bem. Por isso, é necessário, segundo a ordem da doutrina, tratar antes do governo ótimo que do péssimo. Por terceiro, mostrarei qual seja o fundamento para suprimir o governo péssimo e para fundar, tornar perfeito e conservar o presente bom governo a fim de que se torne ótimo, nesta cidade de Florença.

I Tratado

CAPÍTULO I – O governo é necessário nas coisas humanas. Qual é o bom e qual é o mau governo

O onipotente Deus, que rege todo o universo, infunde de duas maneiras a virtude do seu governo nas criaturas. Nos seres desprovidos de inteligência e livre-arbítrio, infunde certas virtudes e perfeições pelas quais são inclinados naturalmente a andarem pelos meios convenientes ao seu próprio fim, sem erros, se não forem impedidos por alguma coisa contrária, o que acontece raras vezes. Tais criaturas não governam a si mesmas, mas são governadas e levadas aos fins próprios por Deus e pela natureza dada por Ele. Mas as criaturas que possuem o dom do intelecto, como o homem, são governadas por Ele de tal modo que Ele quer ainda que se governem a si mesmas; porque dá a elas a inteligência, através da qual podem conhecer aquilo que lhes é útil e aquilo que lhes é inútil; lhes dá também a faculdade do livre-arbítrio para poderem eleger livremente o que lhes agrada. Mas como a luz do intelecto é muito débil, especialmente na infância, não pode o homem reger perfeitamente a si mesmo sem a ajuda de outro homem; e quase todo homem, em particular, é insuficiente para si mesmo, não podendo sozinho prover todas suas necessidades tanto corporais como espirituais.

Vemos que a natureza dotou todos os animais daquilo de que necessitam para sua vida, isto é, de alimentos, vestes, armas para defender-se; quando adoecem, governam-se pelo instinto natural e procuram as ervas medicinais; destas coisas não foi o homem provido, mas Deus, governador de tudo, deu a ele a razão e o instrumento das mãos, pelos quais ele mesmo pode preparar tais coisas. E, considerando a fragilidade do corpo humano, vemos serem necessárias quase que infinitas coisas para nutri-lo, fazê-lo crescer e conservá-lo, e para preparação destas coisas exigem-se muitas artes, que sabemos impossível ou muito difícil que possam existir em um só homem. É, pois, imprescindível que os homens vivam juntos, a fim de que um ajude o outro, trabalhando alguns em uma coisa e outros em outra, formando um corpo perfeito de toda ciência e arte. Por isso, observou-se muito bem que aquele que vive só, ou é Deus ou é um animal; isto é, ou é tão perfeito que é quase como um Deus na Terra, porque Deus não tem necessidade de coisa alguma, e Ele também não teria necessidade do auxílio de nenhum outro homem, tais como o foram São João Batista e São Paulo, o primeiro eremita, e muitos outros; ou então é como um animal, totalmente privado de razão, e que por isso não se preocupa com as vestes, nem com a casa, nem com alimentos cozidos e preparados e nem com a convivência dos outros homens, mas segue seu instinto sensitivo, longe de qualquer uso da razão. Ora, há pouquíssimos homens com tão alto grau de perfeição ou de bestialidade. Excetuando-se estes, todos os demais precisam viver em companhia, seja em cidades, ou castelos, ou vilas, ou outros lugares.

Ora, sendo o gênero humano muito propenso ao mal, especialmente quando se encontra sem lei e sem medo, foi necessário criar a lei, para refrear a audácia dos homens maus, a fim de que aqueles que desejem viver bem estejam seguros; principalmente porque não existe animal pior do que o homem, quando vive sem lei. De fato, o homem guloso é muito mais ávido e incomparavelmente mais insaciável que todos os animais, não lhe sendo suficientes todos os alimentos nem todos os modos de cozinhar existentes no mundo; o homem não procura satisfazer a sua natureza, mas a seu desejo desenfreado. Do mesmo modo, supera todos os animais na bestialidade da luxúria, pois, ao contrário dos animais, não observa os tempos nem os modos devidos, antes, pelo contrário, pratica coisas abomináveis de serem pensadas e mesmo de serem ouvidas, coisas estas que animal algum faz ou imagina fazer. Também os supera na crueldade, pois os animais não fazem guerras tão cruéis, principalmente entre indivíduos da mesma espécie, tais como as fazem os homens, que também inventam inúmeras armas ofensivas e diversos meios de torturar-se e matar-se. Além disso, há nos homens a soberba, a ambição e a inveja, das quais surgem entre eles dissensões e guerras intoleráveis. Porém, tendo os homens a necessidade de viver juntos e desejando viver em paz, foi necessário instituir leis pelas quais os maus sejam punidos e os bons premiados.

Mas como não compete fazer leis senão a quem é superior e não se podem fazer observar as mesmas senão por quem tem poder sobre os outros homens, foi necessário constituir quem tenha a guarda sobre o bem comum e quem tenha poder sobre os outros.

Como todo o homem procura o próprio bem, se alguém não zelasse pelo bem comum, a convivência humana não poderia subsistir e o mundo todo entraria em confusão. Alguns homens, então, convieram em constituir a um só para que zelasse pelo bem comum e ao qual todos obedecessem. Tal governo foi chamado reino, e rei aquele que o governava. Alguns outros, ou por não poderem chegar a um acordo quanto a um só nome, ou por lhes parecer melhor assim, indicaram os principais, melhores e mais prudentes homens da comunidade, desejando que tais governassem, distribuindo entre si os cargos em tempos diversos e este foi chamado governo dos otimates. Outros desejaram que o governo permanecesse nas mãos de todo o povo, cabendo a este distribuir os cargos a quem quisesse, em diversos tempos, e este foi chamado governo civil, porque pertence a todos os cidadãos.

Portanto, o governo da comunidade foi criado para zelar pelo bem comum a fim de que os homens possam viver juntos pacificamente e entregar-se à virtude e conseguir mais facilmente a felicidade eterna. Segue-se que é bom o governo que com toda diligência procura manter e aumentar o bem comum e também induzir os homens às virtudes e ao bem-viver, especialmente no que concerne ao culto divino; é mau governo o que abandona o bem comum, procurando o seu próprio bem, não cuidando das virtudes dos homens nem do bem-viver, senão na medida em que é útil ao seu interesse particular: a tal governo se chama tirânico.

Assim, vimos a necessidade de governo entre os homens e qual é o bom e qual é o mau governo em geral.

CAPÍTULO II – O governo de um só, quando é bom, é por sua natureza ótimo, porém não é bom para qualquer comunidade

Portanto, é bom o governo que zela pelo bem comum, tanto espiritual como temporal, quer seja administrado por um só, ou pelos principais do povo, ou por todo o povo. Mas deve-se saber que, falando de modo absoluto, o governo civil é bom, o dos otimates é melhor e o do rei, ótimo. Sendo a união e a paz do povo o fim do governo, esta união e paz se constitui e se conserva melhor por um do que por muitos e melhor por poucos que pela multidão; porque, quando todos os homens de uma comunidade respeitam e obedecem somente a um, não se desviam em partes, mas todos se unem no amor e no temor dele. Porém, quando são muitos os que governam, respeita-se mais a um do que a outro, há quem goste de um e quem goste ou não goste de outro, e o povo assim não permanece tão unido como quando um só reina e tanto menos permanece unido quantos mais forem aqueles que governam. Do mesmo modo, a força unida é mais forte do que a força dispersa, e o fogo é mais forte quando tem suas partes unidas e conjugadas do que quando as tem dispersas e dilatadas.

A força do governo está, pois, mais unida e conjugada quando em um só do que quando em muitos, pois, por sua natureza, o governo de um, quando é bom, é melhor e mais eficaz do que os outros. Além disso, o governo do mundo e da natureza é ótimo, e como a arte segue a natureza, conclui-se que é tanto mais perfeito o governo das coisas humanas, quanto mais se assemelha ao governo do mundo e da natureza. O mundo é, pois, governado por um só que é Deus, e as coisas naturais, nas quais se percebe a existência de um governo, são também dirigidas por um só, como no caso das abelhas que possuem uma rainha, as potências da alma dirigidas pela razão e os membros do corpo dirigidos pelo coração, etc. Segue-se, pois, que o governo das coisas humanas, quando dirigido por um só, é por sua natureza o melhor dentre todos os governos. Por isso, o nosso Salvador, querendo dar a sua Igreja o governo ótimo, tornou Pedro o cabeça de todos os fiéis, e quis que cada diocese, bem como cada paróquia e cada mosteiro, fosse governada por um só, e que, enfim, todos os chefes menores estivessem sob um único chefe, o seu vigário.

Assim, portanto, falando de modo absoluto, o governo de um só, quando é bom, supera todos os outros bons governos e, se fosse possível, deveria ser instituído em todas as comunidades, isto é: que todo o povo concordemente elegesse um príncipe bom, justo e prudente, ao qual todos devessem obedecer. Mas se deve observar que isto não é bom e nem deve ser observado em todas as comunidades, porque acontece muitas vezes que aquilo que é ótimo absolutamente não é bom, antes é mau em algum lugar ou para alguma pessoa. É o caso, por exemplo, do estado de perfeição da vida espiritual, isto é, o estado religioso, que em si é ótimo, e no entanto não deve ser imposto a todos os cristãos, nem se deve intentar tal coisa, e ela nem mesmo seria boa, porque muitos não a poderiam suportar, e provocariam rasgos na Igreja, como diz o nosso Salvador no Evangelho: "Ninguém costura o pano novo no tecido velho, pois do contrário romper-se-ia o velho e o rasgo seria ainda maior; e ninguém coloca o vinho novo em odres velhos, pois do contrário romper-se-iam os odres e derramar-se-ia o vinho" (Mt 9,17). Constatamos também que alguns alimentos são bons, e mesmo ótimos, mas, se certas pessoas os comessem, tornar-se-iam venenos. Também um ar, em si perfeito, pode ser mau para certas compleições.

Da mesma forma, também o governo de um só é ótimo em si, mas seria mau e péssimo para um povo inclinado a dissensões, porque seguido aconteceria a perseguição e a morte do príncipe, da qual resultariam males infinitos para a comunidade. Morto o príncipe, o povo haveria de dividir-se em partes e seguir-se-ia a guerra civil, escolhendo-se diversos chefes, dos quais, aquele que superasse os outros, haveria de tornar-se tirano e de, enfim, gastar todos os bens da cidade, como demonstraremos abaixo. Em tal povo, se um príncipe desejasse assegurar-se e estabelecer-se, seria necessário que se tornasse tirano, expulsando os poderosos, tirando os bens dos ricos e gravando o povo com muitos impostos, pois que de outro modo não conseguiria manter-se.

Há, pois, alguns povos cuja natureza é tal que não pode tolerar o governo de um só, sem que haja grandes e insuportáveis inconvenientes. São semelhantes à compleição e ao costume de alguns homens, habituados à vida livre, nos campos, os quais logo ficariam doentes e morreriam se alguém os quisesse colocar em quartos bons e quentes, com vestes bonitas e comidas delicadas. Por isso, os homens sábios e prudentes, que devem constituir um governo, consideram primeiramente a natureza do povo. Se a natureza ou o costume é tal que o povo pode facilmente adotar o governo de um só, optam por este ante qualquer outro; mas se este governo não lhe convém, procuram dar-lhe o segundo, o dos otimates. Mas se não pode suportar também a este, dão-lhe o governo civil, com aquelas leis que se adaptam à natureza de tal povo.

Vejamos, então, agora, qual destes três bons governos mais convém ao povo florentino.

CAPÍTULO III - O governo civil é ótimo na cidade de Florença

Se se considerar diligentemente o que dissemos, não se pode duvidar que, se o povo florentino suportasse o governo de um só, dever-se-ia instituir para ele um príncipe (não um tirano), que fosse prudente, justo e bom. Mas se examinamos bem as sentenças e as razões dos sábios, tanto dos filósofos como dos teólogos, perceberemos claramente que, levando em consideração a natureza desse povo, não lhe convém tal governo. Este tipo de governo, diz-se, convém aos povos que são de natureza senil, como são aqueles aos quais falta sangue e engenho, ou uma destas coisas. Acontece também que, aqueles que possuem muito sangue e são de compleição robusta, são audazes nas guerras, mas, faltando-lhes engenho, torna-se fácil submetê-los a um príncipe, pois não são levados facilmente a preparar insídias contra este, devido à fraqueza de estado deles, antes o seguem como o fazem as abelhas com sua rainha - tal é o que se vê nos povos do sul. Já aqueles que possuem engenho, se lhes falta sangue, são débeis e deixam-se submeter facilmente a um só príncipe, sob o qual vivem quietamente, como o são os povos orientais. E muito pior seria o caso dos povos aos quais faltassem tanto o sangue como o engenho. Mas os povos engenhosos, que abundam em sangue e são audazes, não podem ser facilmente governados por um só, se este não os tiraniza: devido a seu engenho vivem continuamente preparando insídias ao príncipe, e por sua audácia facilmente as põem em execução, como sempre se viu na Itália. Por experiência sabemos que esta, desde os tempos passados até o presente, nunca permaneceu sob o governo de um príncipe. Antes vemos que, mesmo sendo pequena província, está dividida em quase tantos principados quantas são as cidades, as quais quase nunca estão em paz.

Ora, o povo florentino é o mais engenhoso entre todos os povos da Itália e o mais sagaz em suas empresas; também é animoso e audaz, como por experiência se viu muitas vezes. Embora seja dado ao comércio, e pareça ser um povo quieto, contudo, quando começa alguma empresa de guerra civil, ou contra os inimigos externos, torna-se muito terrível e animoso, como se lê nas crônicas das guerras que empreendeu contra diversos grandes príncipes e tiranos, aos quais jamais quis ceder, mas defendeu-se até o fim e acabou obtendo vitória. Portanto, a natureza deste povo não é apropriada a suportar o governo de um príncipe, mesmo se este fosse bom e perfeito, porque, sendo sempre mais numerosos os maus que os bons, o príncipe seria traído ou morto pela sagacidade e animosidade dos maus cidadãos, que são sumamente inclinados à ambição, ou então o príncipe deveria tornar-se tirano.

E se considerarmos com maior diligência, compreenderemos que a este povo não só não convém o governo de um só, mas também não lhe convém o governo dos otimates, porque o costume é uma outra natureza. Ora, a natureza é inclinada a agir de um modo, e não pode sair dele, tal como a pedra, que é inclinada a cair, e não pode subir a não ser pela força; assim também o costume converte-se em natureza, e é muito difícil – quase impossível – arrancar os homens, e principalmente os povos, de seus costumes, mesmo se maus, porque tais costumes tornaram-se-lhes naturais.

Ora, o povo florentino escolheu antigamente o governo civil e nele acostumou-se de tal forma que, além de ser tal governo o mais natural e que mais lhe convém, além disso, pelo costume está de tal modo impresso na mente dos cidadãos, que seria difícil e quase impossível removê-los de tal governo. Aconteceu já, que por muitos anos foram governados por tiranos, no entanto, aqueles cidadãos, que em tais anos usurparam o principado, não tiranizavam de tal modo, a ponto de privarem a "Signoria" de tudo, mas com grande astúcia governavam o povo não o tirando de seu natural e de seu costume. Por isso, preservavam na cidade a forma de governo e os magistrados ordinários, ficando, porém, atentos para que no número de tais magistrados não entrassem a não ser seus amigos. Assim, pois, tendo permanecido no povo a forma do governo civil, tornou-se-lhe ela tão natural que, querer alterá-la e impor outra forma de governo, nada mais é do que agir contra a natureza e o antigo costume do povo. Isto geraria tamanha perturbação e discórdia nesta comunidade que a colocaria no risco de fazê-la perder toda a liberdade – o que é muito melhor ensinado pela experiência, mestra de todas as artes.

Por isso, toda vez que na cidade de Florença o governo foi ocupado pelos principais cidadãos, sempre houve grande divisão, e ela só se acalmou quando uma parte expulsou a outra e um cidadão tornou-se tirano. Este indivíduo, ao tornar-se tirano, usurpou de tal modo a liberdade e o bem comum, que os ânimos tornaram-se descontentes e inquietos. E se a cidade esteve dividida e cheia de discórdia nos tempos passados, devido à ambição e aos ódios dos principais cidadãos, muito mais ainda o estaria no presente, se Deus não a houvesse socorrido por sua graça e misericórdia, havendo retomado os cidadãos expulsos pelos governantes em diversas épocas, principalmente de 1434 para cá. Como neste tempo nutriram-se muitos ódios, devido às injúrias feitas a diversas casas e a aparentados, se Deus não lhe houvesse posto a mão, teria sido derramado muito sangue, muitas casas seriam desfeitas, seguindo-se discórdia e guerra civil tanto dentro como fora. E acontecendo as coisas que aconteceram com a vinda do rei da França, não restou dúvida a ninguém, que se encontrava na cidade nestes tempos e que tinha algum discernimento, que esta seria a destruição final dela. Mas o conselho e o governo civil, que nela foi fundado não por homens, mas por Deus, foi o instrumento da virtude divina, mediante as orações dos bons homens e mulheres que nela se encontravam, para mantê-la em liberdade. Sem dúvida, quem por seus pecados não perdeu totalmente o juízo natural, considerando por quantos perigos a cidade passou nos últimos três anos, não pode negar que ela foi governada e conservada por Deus.

Concluamos, pois, que, tanto pela autoridade divina, da qual procedeu o presente governo civil, como pelas razões precedentes, na cidade de Florença o governo civil é ótimo, embora em si não o seja; e o governo de um só é ótimo em si, mas não é bom, e menos ainda ótimo ao povo florentino. Do mesmo modo, o estado de perfeição da vida espiritual é ótimo em si, embora não seja ótimo nem bom a muitos fiéis cristãos, aos quais é ótimo qualquer outro estado de vida, que em si não é ótimo.

Com isto esclarecemos o primeiro ponto, isto é, qual seja o melhor governo da cidade de Florença. Agora é o momento de esclarecer o segundo ponto, isto é: qual é o péssimo governo nesta cidade.

CAPÍTULO I – O governo de um só, quando mau, é péssimo, principalmente o governo daquele que, de cidadão, converteu-se em tirano

O governo de um só, quando bom, é o melhor de todos os governos, é também o mais estável e não se converte facilmente em tirania, como o governo de muitos, pois quanto mais aumenta o número de participantes no governo, tanto mais fácil se torna que surjam discórdias. Entretanto, como é melhor e mais estável quando é bom, também, quando injusto, é mau e por natureza o pior entre todos os governos. É o pior, em primeiro lugar, porque assim como o mal é o contrário do bem, assim o péssimo é o contrário do ótimo; desse modo, como o governo de um, quando bom, é ótimo, segue-se que, quando mau, é péssimo. Em segundo lugar, como dissemos, a força é mais poderosa quando unida do que quando dispersa; quando, pois, governa um tirano, a força do mau governo encontra-se unida em um só, e como são sempre mais numerosos os maus que os bons, e cada semelhante ama seu semelhante, todos os homens maus procuram unir-se a ele, principalmente os que desejam receber prêmios e honras, e muitos também a ele se unem por temor; e aqueles que não são de todo depravados, mas amam as coisas terrenas, a ele se ajuntam ou por temor, ou por amor daquilo que desejam; já os que são bons, mas não perfeitos em tudo, seguem-no por temor e não ousam resistir-lhe; e havendo poucos homens perfeitos, e mesmo quase nenhum, toda a força do governo une-se em um. Porém, sendo este mau e injusto, conduz ao máximo todo o mal e facilmente deprava as coisas boas. Quando, porém, são muitos os maus que governam, um impede o outro, e ficando a força do governo dividida entre muitos, não têm estes tanta força para fazer o mal que desejam, como a tem um tirano sozinho.

Em terceiro lugar, um governo é tanto pior quanto mais se afasta do bem comum, porque, sendo o bem comum o fim de todo bom governo, quanto mais dele se aproxima, mais perfeito é, e quanto mais se afasta, mais imperfeito é, pois cada coisa adquire a própria perfeição ao aproximar-se de seu fim e, distanciando-se dele, torna-se imperfeita. Ora, é certo que o mau governo de muitos afasta-se menos do bem comum que o governo de um só, porque, se muitos usurpam o bem comum e o dividem entre si – apoderando-se dos impostos e das dignidades – contudo, sendo dividido entre mais pessoas, de certo modo tal bem permanece comum. Mas quando todo o bem comum se reduz a um só, não fica comum em parte alguma, mas torna-se de todo particular. Por isso o mau governo de um é o pior dos governos, porque mais se afasta do bem comum e mais o destrói.

Em quarto lugar, a diuturnidade vem em auxílio destas razões, pois o governo de um só é por sua natureza mais estável que o governo de muitos e, embora sendo mau, não pode tão facilmente ficar paralisado e ser extinto como o governo de muitos. Porém, é necessário anotar que, embora o mau governo de um só por sua natureza seja péssimo, contudo, algumas vezes acontecem maiores inconvenientes no governo de muitos no que de um só, principalmente no fim. É que, quando o governo de muitos é mau, divide-se logo em muitos partidos, e assim começa a dilacerar-se o bem comum e a paz e, enfim, se não melhora, é necessário que um partido se sobreponha e expulse o outro. Disto seguem-se muitos males temporais, corporais e espirituais, dos quais o pior é o de que inconvenientes no governo de muitos do que de um só, porque aquele que goza de maior favor do povo, de cidadão transforma-se em tirano. Como dissemos, o governo de um, quando mau, é péssimo, mas tem uma grande diferença do governo daquele que se tornou tirano, pois deste surgem muito mais inconvenientes que daquele; se o tirano quer reinar, é-lhe necessário destruir pela morte, pelo exílio, ou por outros modos, não só os cidadãos que lhe são adversários, mas todos aqueles que lhe são iguais em nobreza, em riqueza ou em fama. Deve também fazer desaparecer da frente de seus olhos todos os que lhe possam causar fastio; e disso seguem-se males infinitos. Isto não acontece com aquele que era senhor por natureza, porque não há ninguém que lhe seja igual, e os cidadãos, acostumados à sujeição, não vivem tramando coisa alguma contra sua posição: assim ele não vive naquela situação em que vive o cidadão tornado tirano.

Nos povos que têm governo dos otimates, ou governo civil, facilmente ocorrem divisões e cai-se no governo tirânico, devido às discórdias que surgem todos os dias e à multidão dos maus, dos sussurradores e dos maldizentes. Com todo cuidado e diligência tais povos devem prover com leis muito fortes e severas, que ninguém possa tornar-se tirano, punindo com a pena máxima não somente quem tentasse, mas também quem sugerisse tal coisa. Em todos os demais pecados, deve-se sempre ter compaixão da pessoa, menos neste, no qual apenas se deve cuidar da salvação da alma. Por isso, neste caso não se deve diminuir pena alguma, antes se deve aumentá-la, a fim de servir de exemplo a todos, para que cada um se guarde não só de sugerir tal coisa, mas também de pensá-la. Quem neste assunto é compassivo ou negligente em punir, peca gravemente ante Deus, porque dá origem ao tirano, de cujo governo seguem-se males infinitos, como mostraremos abaixo.
Quando os homens maus veem que as penas

são leves, enchem-se de ousadia, e pouco a pouco chega-se à tirania, tal como a gota d'água pouco a pouco cava a pedra. Aquele, pois, que não punir severamente este tipo de pecado, é causa de todos os males que procedem da tirania de tais cidadãos. Por isso, todo o povo, dirigido pelo governo civil, deve antes suportar qualquer outro mal e inconveniente que se seguisse do governo civil, quando imperfeito, do que permitir que surja um tirano. Cada um sabe muito bem quanto mal provém de um governo tirânico, e, embora já o tenhamos apresentado outra vez, contudo, para melhor compreensão, o descreveremos em seus aspectos principais, no capítulo seguinte, pois seria impossível querer enumerar todas suas falhas, abusos e pecados e que males dele se seguem, porque são infinitos.

CAPÍTULO II – A maldade e as péssimas condições do tirano

Tirano é o nome do homem de má vida, e péssimo entre todos os homens, que pela força quer reinar sobre todos. Este é principalmente aquele que de cidadão converte-se em tirano.

Em primeiro lugar, é necessário que seja soberbo, querendo exaltar-se acima de seus iguais e mesmo acima dos melhores que ele e daqueles ante os quais mereceria estar sujeito. É, também, invejoso e se entristece com a glória dos outros homens, principalmente dos habitantes de sua cidade; não pode ouvir louvores a outros, embora por vezes dissimule e ouça com coração dolorido. Alegra-se com as ignomínias do próximo, a ponto de desejar que todo homem seja vituperado, de modo que só ele permaneça com glória. Assim, devido às grandes fantasias, tristezas e temores, que sempre o corroem por dentro, procura deleites, como remédios de suas aflições; por isso, raramente, ou mesmo nunca, encontrou-se um tirano que não fosse luxurioso e dado aos prazeres da carne. Mas não pode manter-se neste estado, nem dar-se aos prazeres que deseja, sem a abundância de dinheiro, motivo pelo qual deseja desesperadamente a posse de bens. Percebe-se, a esse respeito, que todo tirano é avarento e ladrão, pois não só rouba o principado que pertence a todo o povo, mas também o que pertence à comuna, além de outras coisas que lhe apetecem e que arranca dos particulares através de artimanhas e caminhos ocultos, e por vezes manifestamente.

Disto segue-se que o tirano tem virtualmente todos os pecados do mundo. Primeiro, porque tem a soberba, a luxúria e a avareza, que são as raízes de todos os males. Segundo, porque tendo colocado seu fim no posto que detém, não há o que não faça para mantê-lo, e por isso não há mal que não esteja disposto a fazer no que se refere a seu posto, como a experiência o demonstra. Por isso, tem no propósito e no hábito todos os pecados. Terceiro, porque de seu perverso governo derivam todos os pecados do povo e, por isso, ele é devedor de todos como se os houvesse cometido, donde se segue que cada uma das partes de sua alma é depravada. Sua memória recorda sempre as injúrias e procura vingar-se, e esquece logo os benefícios dos amigos. Usa a inteligência para preparar fraudes, enganos e outros males; a vontade é cheia de ódios e de desejos perversos; a imaginação, de representações falsas e más. Usa mal os sentidos exteriores, ou para as próprias concupiscências ou em detrimento e desprezo do próximo, porque está cheio de ira e de despeito. Isto lhe acontece porque colocou seu fim no ser tirano, o que é difícil, se não impossível, manter por longo tempo, porque nenhum violento dura para sempre.

Por isso, procurando manter pela força aquilo que por si se destrói, tem necessidade de ser muito vigilante. E sendo mau o fim, é necessário que seja má toda coisa ordenada a ele; por isso, o tirano não pode pensar, nem recordar, nem imaginar, nem praticar coisas que não sejam más, e se por acaso faz alguma coisa boa, não a faz para fazer o bem, mas para obter fama e fazer amigos, a fim de poder manter-se melhor naquela situação perversa. Nisso parece-se com o diabo, rei dos soberbos, que só pensa no mal, e que, se alguma vez diz a verdade, ou pratica uma ação que tem o aspecto de bem, ordena tudo a um fim mau e principalmente à sua grande soberba. Assim, também o tirano ordena todo o bem que faz a sua soberba, na qual procura preservar-se de todos os modos. Quanto mais o tirano aparenta exteriormente ser de bons costumes, tanto mais é astuto e mau, e conduzido por um diabo maior e mais sagaz, que se transfigura em anjo de luz para obter maior sucesso.

O tirano é péssimo também no que se refere ao governo, com relação ao qual interessa-se por três coisas. Primeira, que os súditos não entendam absolutamente nada do governo, ou pouco e coisas de pouca importância, a fim de não conhecerem suas malícias. Segunda, procura insuflar discórdia entre os cidadãos, não só na cidade, mas também nos castelos, nas vilas, nas casas e entre seus ministros, conselheiros e familiares. Como o reino de um rei verdadeiro e justo se conserva pela amizade dos súditos, a tirania se conserva pela discórdia dos homens, motivo pelo qual o tirano favorece uma das partes, que mantém a outra rebaixada e torna forte o tirano. Terceira, para garantir-se procura sempre rebaixar os poderosos, e mata ou prejudica os homens excelentes em bens, em nobreza, em engenho ou em outras virtudes. Faz escarnecer os homens sábios, tira-lhes a reputação e a fama para que não sejam seguidos; não quer ter os cidadãos como companheiros, mas como servos; proíbe reuniões e encontros, para que os homens, reunindo-se, não façam amizades, pois teme que venham a conjurar contra ele. Procura fazer que os cidadãos, entre si, tenham as atitudes mais selvagens possíveis; para tanto procura conturbar-lhes as amizades e dissolver-lhes os matrimônios e parentescos, querendo fazê-los a seu modo. E depois que o faz, procura colocar discórdia entre os parentes, pondo espiões e delatores por tudo, a fim de ser informado do que fazem e do que dizem os homens e as mulheres, os padres e os religiosos, bem como os seculares. Procura fazer com que sua esposa, suas filhas, irmãs e parentes cultivem amizades e conversem com outras mulheres, com a finalidade de arrancar delas os segredos dos cidadãos e tudo o que se faz e se diz em casa.

O tirano procura fazer com que o povo se ocupe com as coisas necessárias para a vida, porém, quando pode, mantém-no magro com taxas e impostos. Muitas vezes, principalmente nos tempos de abundância e de paz, ocupa-o em espetáculos e festas, a fim de que pense no tirano e não em si mesmo. Do mesmo modo, esforça-se para que os cidadãos pensem no governo da própria casa e não se ocupem dos segredos de Estado, a fim de serem inexperientes e imprudentes no governo da cidade, de tal modo que só ele permanece como governante e parece ser o mais prudente de todos. Presta honra aos aduladores, para que todos se esforcem em adulá-lo e em ser como ele, e odeia quem diz a verdade, porque não quer confrontar-se com ela e, por isso, despreza os homens livres no falar e não os quer junto a si. Não convive muito com os cidadãos, dando preferência aos estranhos. Tem amizades com os senhores e mestres forasteiros, pois considera os cidadãos como seus adversários e tem sempre medo deles; por isso, tenta fortificar-se contra eles apelando para os forasteiros. No seu governo quer permanecer oculto, dando a impressão, a quem vê de fora, de não governar, e dizendo e fazendo dizer por seus cúmplices que não quer alterar, mas conservar o governo da cidade; por isso, gosta de ser chamado conservador do bem comum, e mostra-se mansueto mesmo em coisas mínimas, dando por vezes audiência a meninos e meninas ou a pessoas pobres e defendendo-as seguido, até das menores injúrias. Por isso apresenta-se como autor de todas as honras e dignidades que distribuem aos cidadãos, e faz questão de ser reconhecido como tal. Já a punição dos que erram, ou dos que são acusados por seus cúmplices para serem humilhados e malsucedidos, estas as atribui aos magistrados e desculpa-se por não poder ajudar os condenados. Com isto, procura conquistar fama e benevolência junto ao povo, e tenta fazer com que os magistrados sejam odiados pelos que não conhecem as fraudes dele.

Do mesmo modo, procura parecer religioso e dedicado ao culto divino, mas faz somente alguns atos exteriores, como ir à igreja, dar certas esmolas, edificar templos e capelas, confeccionar paramentos, e outras coisas semelhantes, todas feitas por ostentação. Também conversa com religiosos e simuladamente se confessa com quem é piedoso para dar a impressão de ter sido absolvido. De outra parte, empobrece a religião usurpando os benefícios e dando-os a seus satélites e cúmplices, e procurando-os para seus filhos; e assim apodera-se dos bens temporais e espirituais. Não quer que nenhum cidadão faça coisas excelentes, como palácios, colégios, igrejas ou obras, no governo e na guerra, pois só ele quer parecer singular. Muitas vezes humilha os homens importantes, e depois de humilhá-los exalta-os ainda mais do que antes, para que se julguem devedores dele e para que o povo o tenha como clemente e magnânimo. Não deixa que os juízes ordinários exerçam a justiça, pois assim pode favorecer, matar ou humilhar a quem quiser. Apossa-se do dinheiro público e encontra novas formas de impostos e gravames para acumular riqueza, com a qual sustenta seus satélites e paga soldo a príncipes e a outros capitães, embora muitas vezes a comunidade não precise deles, mas assim o faz para dar-lhes algum ganho e fazê-los amigos e para poder aparentar honestidade ao onerar o povo, dizendo que precisa pagar os soldados. Pelo mesmo motivo move e faz mover guerras sem utilidade, isto é, através delas não busca e não quer a vitória, nem deseja pilhar os bens dos outros, mas as faz para manter o povo miserável e para manter-se melhor no governo. Com o dinheiro público também edifica às vezes grandes palácios e templos e por tudo pendura seus brasões. Sustenta cantores e cantoras porque pensa ser o único glorioso. Aos seus sequazes de baixa condição dá em casamento as filhas dos nobres para rebaixar e tirar a reputação dos nobres, e exaltar as pessoas vis, as quais, bem o sabe, ser-lhe-ão fiéis porque não têm generosidade de ânimo e são dependentes dele, sendo geralmente soberbas e supondo que a amizade do tirano é uma grande felicidade.

Com muito gosto recebe presentes, para assim acumular riquezas. Mas raramente presenteia os cidadãos, preferindo fazer doações aos príncipes e aos forasteiros de quem procura amizade. Quando vê uma coisa que lhe agrada, começa a louvá-la, olha para ela e faz tais sinais que deixa perceber o desejo de possuí-la, e assim o proprietário, por vergonha ou por medo, acaba por oferecer a ele. E ainda tem junto de si os aduladores que entusiasmam e exortam o dono a presentear. Em último caso pede emprestado as coisas que lhe agradam e depois não as devolve mais. Despoja as viúvas e os órfãos, fingindo que os quer defender. Tira as posses, os campos e as casas dos pobres, a fim de fazer parques, planícies, palácios ou outras coisas que lhe dão prazer; promete que paga o justo preço pelos bens, e depois paga apenas a metade. Aos que lhe servem em casa, não paga o salário que merecem, desejando que todos sirvam de graça. Procura pagar seus sequazes com os bens dos outros, dando-lhes ofícios e benefícios que não merecem, tirando de outros os ofícios da cidade para dar a eles. Se algum comerciante tem muito crédito, procura levá-lo à falência, a fim de que ninguém possua tanto crédito como ele, o tirano. Exalta os homens maus, os quais, sem sua proteção, seriam punidos pela justiça, e os exalta para que o defendam, pois é o que fazem quando defendem a si mesmos. E se exalta algum homem honesto e bom, o faz para demonstrar ao povo que é amante das virtudes. Mas nunca deixa de vigiar os bons e sábios, e não confia neles, mas procura tratá-los de tal modo que não lhe possam ser nocivos. É tido como inimigo quem não o corteja ou não se apresenta a ele em casa ou na praça. Seus sequazes em todos os lugares vão desviando os jovens e conduzindo-os ao mal, mesmo contra a vontade do pai; levam-nos ao tirano para envolvê-los em seus maus conselhos e fazê-los inimigos de todos aqueles que julga serem seus adversários, mesmo que sejam os pais dos jovens. Procura fazer com que gastem seu dinheiro em festas e outras voluptuosidades para que se tornem pobres, e ele só permaneça rico.

Não se pode constituir oficial algum que ele não queira saber, e que não queira ele mesmo constituir; e chega ao ponto de querer nomear os cozinheiros do palácio, e os fâmulos dos magistrados. Muitas vezes nomeia para ofícios o irmão menor, ou o mais jovem da casa, ou o menos virtuoso, a fim de provocar à inveja e ao ódio os mais velhos e melhores e assim criar discórdia entre eles. Não se pode dar sentença nem parecer, nem fazer apaziguamento algum sem ele, que procura sempre favorecer uma parte, e prejudicar aquela que não lhe corresponde aos interesses.

Com astúcia procura corromper todas as boas leis, porque são contrárias a seu governo injusto, e a seu bel-talante faz continuamente novas leis. Em todas as repartições e ofícios, tanto dentro como fora da cidade, há sempre quem vigia e depois lhe refere o que se diz e o que se faz, e há quem de sua parte ensina tais oficiais como devem agir: assim, torna-se o refúgio de todos os homens celerados e o extermínio dos justos. É sumamente vingativo, procurando vingar com grande crueldade até as mínimas injúrias, a fim de atemorizar os outros, pois tem medo de qualquer um.

Quem fala mal dele é necessário que se esconda, porque o persegue nem que seja até o fim do mundo, e com traições, com venenos, e de outras formas pratica suas vinganças e é grande homicida, porque deseja sempre remover os obstáculos que se opõem a seu governo, embora procure mostrar que não mata ninguém e que lamenta muito a morte de outros. Muitas vezes simula que quer punir quem cometeu um tal homicídio, mas depois deixa fugir secretamente o culpado, o qual, após certo tempo, fingindo pedir perdão, é novamente acolhido e levado para junto dele.

Além disso, o tirano quer ser superior em todas as coisas, até nas mínimas, como nos jogos, no falar, nos torneios, nas corridas de cavalo, nos debates e em todas as coisas nas quais há concorrência quer ser sempre o primeiro; e quando não o pode ser pelo próprio talento, procura ser superior através de fraudes e enganos.

Para manter sua reputação é difícil em conceder audiências. Muitas vezes entrega-se aos prazeres e deixa os cidadãos do lado de fora a esperar; depois, concede-lhes breve audiência com respostas ambíguas e quer ser entendido por sinais, pois parece que se envergonha de querer e de pedir o que em si é mau, ou de negar o bem. Mas diz palavras truncadas que têm aspecto de bem, e no entanto quer ser entendido. Com palavras e com atos, seguido escarnece dos homens bons, rindo-se deles com seus cúmplices.

Mantém entendimentos secretos com outros príncipes e depois, sem revelar o que sabe, consulta o conselho sobre o que se deve fazer, a fim de que cada um responda ao acaso, e só ele pareça prudente, sábio e investigador dos segredos dos senhores. Só ele quer ditar leis a todos os homens. Ante os juízes e magistrados, um guarda seu, ou uma palavra de seu porta-recados, vale mais que toda justiça.

Resumindo: sob o tirano não há nada de estável, porque tudo é governado segundo sua vontade, a qual não é dirigida pela razão, mas pela paixão. Sob ele, todo o cidadão está ameaçado devido a sua soberba; toda a riqueza está flutuando devido a sua avareza; toda a castidade e recato de mulher está em perigo devido a sua luxúria; e por tudo tem rufiões e rufionas que, de diversos modos, conduzem as mulheres e as moças à perdição, principalmente nas casas maiores de convivência onde, por vezes, nos quartos, há caminhos ocultos, por onde são levadas as mulheres menos avisadas, aí permanecendo presas. Isto para não falar na sodomia, à qual muitas vezes o tirano é dado, de tal modo que não há jovem de certa aparência que esteja seguro. Seria muito longo querer discorrer por todos os males e pecados que o tirano pratica; os apontados são suficientes para o presente tratado. Cabe agora ver os males que ele traz para a cidade de Florença.

CAPÍTULO III – Os bens da cidade que o tirano impede. Entre todas as cidades, Florença é aquela para a qual é mais nocivo o governo tirânico

Se o governo do tirano é péssimo em toda a cidade e província, parece-me, querendo nós falarmos como cristãos, que isto é principalmente verdadeiro na cidade de Florença. Todos os governos de homens cristãos devem ser ordenados em seu fim para a felicidade que nos foi prometida por Cristo. Porém, a ela não se chega a não ser através da vida cristã, à qual, como demonstramos em outro lugar, nenhuma outra forma de vida é superior. Por isso, os cristãos devem instituir todos seus governos, particulares e universais, de tal modo que este viver cristão seja por eles obtido de modo principal e sobre todas as coisas. Ora, este viver se nutre e aumenta através do verdadeiro culto divino; por isso, devem esforçar-se por manter, conservar e aumentar este culto, não tanto de cerimônias quanto de verdade; de bons, santos e doutos ministros da Igreja e de religiosos. Na medida do lícito e do possível, devem remover da cidade os maus sacerdotes e religiosos porque não há homens piores que eles, como dizem os santos, nem quem mais destrua o culto divino, o bom viver cristão e todo o bom governo. É melhor ter poucos e bons ministros, que muitos e maus, porque os maus provocam a ira de Deus contra a cidade, e como todo o bom governo procede do Senhor, são causa de que Deus retire sua mão e não deixe correr a graça do bom governo, devido à gravidade e à multiplicação de seus pecados, com os quais arrastam grande parte do povo e perseguem os homens bons e justos. Se lerdes e relerdes o Antigo e o Novo Testamento, encontrareis que todas as perseguições dos justos provêm principalmente de tais homens e que por seus pecados os flagelos de Deus caíram sobre o povo, e que eles sempre perverteram todo bom governo, corrompendo a mente dos reis, dos príncipes e de outros governantes.

Deve-se, pois, cuidar atentamente para que na cidade se viva bem e que ela esteja repleta de homens bons, principalmente ministros do altar, porque o aumento do culto divino e do viver cristão faz com que necessariamente se aperfeiçoe o governo. Isto acontece, em primeiro lugar, porque, como seguido se encontra no Velho Testamento, Deus e seus anjos cuidavam de modo especial para que, quando o culto divino se encontrava bem ou crescia, também o reino dos judeus andasse de bem para melhor, e o mesmo se lê no Novo Testamento a respeito de Constantino o Grande, de Teodósio e de outros príncipes religiosos. Em segundo lugar, devido às orações feitas continuamente por aqueles que são destinados ao culto divino e pelos bons que moram na cidade e também pelas orações comuns de todo o povo nas solenidades. Lemos no Antigo e no Novo Testamento que pelas orações as cidades foram salvas de grandíssimos perigos e dotadas por Deus de inumeráveis bens espirituais e temporais. Em terceiro lugar, pelos bons conselhos pelos quais se conservam e aumentam os reinos, pois sendo bons os cidadãos, são especialmente iluminados por Deus, conforme está escrito: "Nas trevas surgiu uma luz para os retos de coração" (Sl 111,4), isto é, nas trevas das dificuldades deste mundo os retos de coração são iluminados por Deus. Em quarto lugar, pela sua união, pois onde reina o bem-viver cristão não pode haver discórdia, visto estarem removidas todas as causas da discórdia, isto é: a soberba e a ambição, a avareza e a luxúria; e onde há união, há necessariamente força, como se demonstrou em tempos passados, quando se viu que, pela união, os reinos pequenos tornaram-se grandes, e os grandes, pela discórdia, acabaram dissipando-se. Em quinto lugar, pela justiça e pelas boas leis que os cristãos amam, pois, como diz Salomão: "O trono firma-se na justiça" (Pv 16,12), isto é, pela justiça o reino se estabelece. Por este bem-viver o reino cresceria também em riqueza, pois, não gastando superfluamente, acumular-se-ia no erário público um imenso tesouro, com o qual seriam pagos os soldados e oficiais, seriam socorridos os pobres e ficariam tomados de terror os inimigos, e principalmente porque, percebendo seu bom governo, os mercadores e outros homens ricos prazerosamente acorreriam para a cidade e os vizinhos que fossem malgovernados desejariam também o governo dela. Pela união entre eles e a benevolência dos amigos teriam necessidade de poucos soldados, floresceriam na cidade todas as artes, ciências e virtudes; nela haveria de acumular-se um tesouro imenso e seu domínio haveria de dilatar-se por muitas partes, o que seria muito bom, não somente para a cidade, mas também para os outros povos, porque seriam bem governados, e o culto divino se dilataria e a fé e o bem-viver cristão cresceriam. Estas coisas reverteriam em grande glória de Deus e de nosso Salvador, Jesus Cristo, rei dos reis e senhor dos senhores.

Estas coisas todas impede e destrói o governo tirânico, pois nada existe que o tirano mais odeie, que o culto a Cristo e o bem-viver cristão, que lhe são exatamente o contrário, e um contrário procura expulsar o outro. Por isso o tirano se esforça quanto pode para que o verdadeiro culto de Cristo se afaste da cidade, embora só o faça ocultamente. Se há algum bom bispo, sacerdote ou religioso, principalmente se é livre em dizer a verdade, com cautela procura removê-lo da cidade, ou corromper-lhe o ânimo com adulações e presentes. Depois, procura dar os benefícios aos maus sacerdotes e aos que são seus cúmplices e favorece os religiosos indignos e os que o adulam.

Sempre procura corromper a juventude e todo o bem-viver da cidade, como coisa que lhe é sumamente contrária; e se isto é um grande mal, mesmo o maior dos males em cada cidade ou reino, é mal gravíssimo nas cidades dos cristãos e, nestas, me parece que seja ainda maior na cidade de Florença. Em primeiro lugar, porque este povo é muito inclinado ao culto divino, como o sabe quem com ele convive. Seria, pois, algo muito fácil instituir neste povo um bom governo e, é certo, se não fossem os maus sacerdotes e religiosos, Florença acabaria vivendo como os primeiros cristãos e seria um espelho de religião para todo o mundo. No presente, apesar de tantas perseguições contra o bem-viver dos bons, e apesar de tantas dificuldades internas e externas, e entre tantas excomunhões e persuasões perversas, vemos que se vive de tal modo na cidade dos bons que, seja dito sem ofensa a nenhuma outra, não se cita e não se encontra cidade onde seja maior o número dos bons e de maior perfeição a vida do que na cidade de Florença. Se, pois, entre tantas perseguições e dificuldades ela cresce e frutifica para o Verbo de Deus, que não haveria ela de fazer quando nela houvesse uma vida pacífica, após ser removida a contradição dos padres, religiosos e cidadãos mornos e maus?

Isto confirma ainda mais a sutileza das inteligências que nela se encontram, pois é conhecido de todo o mundo que os florentinos possuem espírito sutil, e nós sabemos que é coisa periculosíssima que tais espíritos se voltem para o mal, e mais ainda que se acostumem no mal desde pequenos, porque depois são mais difíceis de serem melhorados e mais capazes de possibilitar a multiplicação do mal sobre a terra. Pelo contrário, se se voltam para o bem, será difícil pervertê-los e ficarão aptos a difundir o bem por muitos lugares. Contudo, na cidade de Florença deve-se ter grande cuidado para que haja um bom governo, e para que de modo algum surja um tirano, pois sabemos quanto mal o governo tirânico praticou nela e em outras cidades. Tantas foram as astúcias do tirano que muitas vezes conseguiu enganar os príncipes da Itália e manteve divisões não só nas cidades vizinhas, mas também nas longínquas, e isto o tirano consegue fazer com tanto maior facilidade quanto se trata de cidade rica e inteligente, que muitas vezes pôs em confusão toda a Itália.

Nossa afirmação de que um governo tirânico não pode durar por muito tempo ainda mais se confirma pelo fato de que, como dissemos, nenhum violento pode ser perpétuo e porque, falando como cristão, o governo tirânico é permitido por Deus para punir e purificar os pecados do povo; purificados os pecados, porém, é necessário que cesse tal governo, porque removida a causa, deve ser removido também o efeito. Portanto, se um tal governo não pode durar em outras cidades e reinos, mais ainda não pode permanecer em paz na cidade de Florença, porque aquelas pessoas engenhosas não conseguem se aquietar. Por isso se viu, por experiência, que nela seguido aconteceram levantes de cidadãos contra os governantes, e destes levantes e guerras civis seguiram-se, por vezes, comoções em toda a Itália e aconteceram muitos males.

Por estas e por outras razões, que por brevidade omito, fica claro, pois, que em toda a cidade se deve remover o governo tirânico e suportar antes qualquer outro governo imperfeito, mas não o tirânico, do qual se seguem tantos e tão grandes males, que não se podem encontrar nem maiores, nem mais numerosos. Muito mais devem-se tomar tais precauções na cidade de Florença. E quem bem entender as coisas precedentes, compreenderá que não há pena nem flagelo algum tão grave neste mundo, que seja proporcional à gravidade do pecado daquele que procurasse ou tentasse ou desejasse ser ou tornar-se tirano na cidade de Florença, pois qualquer pena que se pode pensar na vida presente é pequena em comparação com tal pecado, mas o Deus onipotente, justo juiz, o saberá punir como merece, tanto nesta como na outra vida.

III Tratado

CAPÍTULO I – A instituição e o modo do governo civil

Já demonstramos que o melhor governo para a cidade de Florença é o governo civil e que o governo tirânico não teria cidade em que fosse tão mau como nela. Cabe agora examinarmos como se deve providenciar para que nela não surja nenhum tirano e como se deve introduzir nela o governo civil. Por vezes alguém se adona do governo pela força das armas, e à força não se pode resistir pela razão e por isso não podemos dar indicações a este respeito. Pretendemos, pois, esclarecer como se deve providenciar para que um cidadão, não pela força das armas, mas pela astúcia e através de amigos, aos poucos não se torne tirano da cidade, apoderando-se do domínio dela, como aconteceu em tempos passados.

Alguém poderia crer que seria necessário que nenhum cidadão fosse excessivamente rico, pois o dinheiro atrai a si o povo e o cidadão excessivamente rico torna-se tirano. Mas seguem-se muitos inconvenientes de se querer legislar a respeito, e seria muito perigoso querer tirar os bens dos ricos, e é muito difícil terminar com a riqueza dos cidadãos. Além disso, observemos que as riquezas não constituem a principal causa devido à qual um cidadão torna-se tirano, pois se um cidadão rico nada mais tivesse além de suas riquezas, não congregaria ao redor de si a multidão dos outros cidadãos, da qual depende o governo da cidade, e pouco se poderia esperar de um tal rico. Por pouco dinheiro os cidadãos não consentiriam que um se tornasse tirano, e um deles, embora sendo muito rico, numa cidade tão grande não pode comprar tantos cidadãos quanto é necessário, pois cada um exige uma grande quantidade em dinheiro, pois que a maior parte é rica e recusa naturalmente tornar-se serva de quem reputa igual a si.

Mais do que dinheiro, os cidadãos buscam na cidade dignidades e reputação, e sabendo eles que a reputação ajuda o homem a enriquecer, é preciso tomar cuidado para que nenhum cidadão goze da autoridade de forma a poder conceder benefícios, ofícios e dignidades da cidade, visto que esta é a raiz principal que produz o tirano, pois os cidadãos amam a honra e desejam ter reputação. Mas quando veem que há uma forma de obterem os benefícios e honras da cidade, submetem-se então a quem creem que lhos possa dar. E, assim, crescendo paulatinamente o número dos cidadãos que se submetem a quem tem maior autoridade, forma-se o tirano. Quando são muitos os que usurpam a autoridade pública, é necessário que o povo se divida e que, por fim, um combata contra o outro e aquele que possui maior séquito, ou que sai vitorioso, acaba tornando-se tirano. Por isso é necessário instituir que a autoridade para distribuir ofícios e benefícios pertença a todo o povo, a fim de que um cidadão não tenha que se submeter a outro, mas que cada um se julgue igual ao outro, e que não possa tornar-se chefe de outro.

Como, porém, seria muito difícil reunir todo o povo a cada dia, é necessário instituir um certo número de cidadãos, que recebam esta autoridade de todo o povo. Se o número fosse pequeno, poderia ser corrompido com amizades, parentesco e dinheiro, por isso se deve constituir um grande número de cidadãos. Mas porque, talvez, todos quisessem pertencer a este número – o que poderia gerar confusão –; e porque, talvez, a plebe quisesse ingerir-se no governo – o que logo traria alguma desordem –, é necessário limitar de tal modo este número de cidadãos, que não esteja nele quem é propenso a provocar desordem, mas também que nenhum cidadão possa queixar-se. Constituído, pois, este número de cidadãos, que se chama o "Grande Conselho", e cabendo a ele distribuir todas as honras, não há dúvida que ele é o senhor da cidade. Depois de criado, porém, se deve fazer três coisas.

A primeira é instituí-lo nos modos devidos e com leis muito sólidas, de forma que não possa ser-lhe retirado o poder. Mas os cidadãos que pouco amam a cidade são mais solícitos pelos seus interesses que pelo bem comum e por isso pouco se importam em comparecer ao Conselho. Esta negligência poderia fazer com que este perdesse a autoridade e acabasse se desfazendo. Por isso, dever-se-ia prever que quem não comparecesse às reuniões, não estando legitimamente impedido, pagasse uma certa quantia elevada; na segunda vez, a pena fosse maior, e na terceira vez, fosse totalmente afastado do Conselho. Assim, aquele que não quer fazer por amor o que deve, deverá fazê-lo por força, acabando por procurar mais o bem comum do que o particular e, na defesa daquele, é obrigado a colocar em risco os bens e a vida, principalmente ao considerar que do bom governo procedem tantos bens e do mau, tantos males, como dissemos. Do mesmo modo, devem ser estatuídas outras leis, penas e provisões, conforme a experiência vai aos poucos demonstrando, para reforçar o Conselho e consolidar a posição do senhor da cidade, porque, sendo destruído o Conselho, todas as demais coisas se arruinariam.

A segunda coisa: deve-se prover para que o senhor não possa tornar-se tirano, pois assim como, às vezes, um homem, que é senhor por nascimento, deixa-se corromper pelos maus e torna-se tirano, assim também um conselho bom torna-se mau e tirânico devido à malícia dos péssimos cidadãos. Ora, os homens viciados e tolos, quando se multiplicam, são causa de muitos males nos governos, por isso devem-se tomar as providências necessárias para excluir tais homens do Conselho, quando isto for possível. Deve-se igualmente cuidar, sob penas gravíssimas, que não se possam fazer combinações, nem pedir votos ou sufrágios, e quem fosse encontrado violando a proibição fosse punido, pois quem não é severo em punir não pode conservar o reino. Portanto, é preciso prover com diligência e remover todas as imperfeições e más raízes, pelas quais o Conselho, ou a maior parte dele, viesse a cair nas mãos dos maus, pois o Conselho seria imediatamente destruído e tornar-se-ia o tirano da cidade.

Terceira coisa: é necessário prover para que o Conselho não seja sobrecarregado demais, isto é, que tantos cidadãos não precisem reunir-se para cada pequeno caso. Os senhores devem cuidar das coisas importantes, deixando aos súditos as menores. Aqueles, porém, devem conservar sempre a autoridade para distribuir os ofícios e benefícios, de tal forma que cada caso passe pela triagem deles, a fim de que o princípio da tirania seja evitado, como falamos. Mas é também necessário providenciar para que em certos tempos mais cômodos os cidadãos reúnam-se, para juntos debaterem muitas coisas que devam ser feitas no dia do encontro; devem-se então encontrar modos para que as votações sejam breves e que se concluam o mais rápido possível. Podemos dizer muitas coisas a este respeito e descer mais ao particular, mas, se os cidadãos florentinos observarem o que dissemos e o que diremos no capítulo seguinte, não terão necessidade de minhas instruções, porque eles mesmos, se quiserem, com a ajuda de Deus, saberão pouco a pouco prover a cada coisa, aprendendo melhor todo o dia através da experiência. Quanto a mim, não desejo ultrapassar os limites de meu estado, a fim de não dar aos adversários ocasião de murmurar.

CAPÍTULO II – O que os cidadãos devem fazer para aperfeiçoar o governo civil

Todo o cidadão florentino que deseja ser um bom membro de sua cidade e deseja ajudá-la – como cada um deve desejar – deve crer em primeiro lugar que este Conselho foi mandado por Deus, como é verdade, não somente na forma que todo o governo procede de Deus, mas por especial providência que Deus tem no presente pela cidade de Florença. Quem residiu nesta cidade durante os últimos três anos, e não é cego ou totalmente sem juízo, percebe claramente que, se não fosse a mão de Deus, jamais se teria constituído um tal governo no meio a tantas e tão poderosas contradições, nem se teria podido manter até este dia no meio de tantos armadores de insídias e de tão poucos que auxiliam. Deus quer que nos exercitemos com o intelecto e o livre-arbítrio, que nos deu, para organizarmos as coisas que pertencem ao governo humano e que inicialmente são imperfeitas, a fim de que nós, com seu auxílio, as tornemos perfeitas. Como este governo é ainda imperfeito, faltando-lhe muitas partes e mesmo não tendo quase nada além dos fundamentos, cada cidadão deve desejar e fazer quanto pode para levá-lo à perfeição. Para tanto, porém, seria necessário que todos ou a maior parte possuíssem estas quatro coisas.

Primeiro, o temor de Deus, pois é certo que todo reino e todo governo, assim como qualquer outra coisa, procede de Deus sendo Ele a causa primeira que a tudo governa. Vemos que o governo das coisas naturais é perfeito e estável, porque elas estão sujeitas a Ele e não se revoltam contra seu governo. Assim, também, se os cidadãos temessem a Deus e se submetessem aos seus mandamentos, Ele sem dúvida os conduziria à perfeição deste governo e os iluminaria em tudo o que devessem fazer.

Segundo, seria necessário que amassem o bem comum da cidade e que quando estivessem nas magistraturas deixassem de lado todas suas propriedades e os interesses de parentes e amigos e tivessem olhos voltados exclusivamente para o bem comum. Este afeto haveria de iluminar-lhes o olho do intelecto, e, sendo despojados dos próprios afetos, não teriam uma visão errônea, pois, considerando o fim do governo, não poderiam errar facilmente nas coisas que a este se ordenassem. De outra te mereceriam que o bem comum fosse aumentado por Deus. De fato, entre outras razões por que os romanos tanto dilataram seu império, assinala-se a de que muito amavam o bem comum da cidade. Ora, Deus quis recompensar-lhes essa boa obra, pois não quer que algum mérito fique sem prêmio; como porém eles não tinham a graça e, por isso, tal obra não merecia a vida eterna, recompensou-a com bens temporais a ela correspondentes, isto é, aumentando o bem comum da cidade e dilatando o império por todo o mundo.

Terceiro, seria necessário que os cidadãos se amassem mutuamente, deixassem todos os ódios e esquecessem todas as injúrias dos tempos passados, porque o ódio e os maus afetos e as invejas cegam o olho do intelecto e não o deixam ver a verdade. Ora, comete muitos erros nos conselhos e nos cargos quem não é bem provado nesta coisa, e Deus o deixa incorrer na punição dos próprios pecados e dos de outros, o mesmo Deus que o iluminaria se fosse puro de tais afetos. Além disso, vivendo em concórdia e amando-se mutuamente, Deus haveria de recompensar esta sua benevolência, dando-lhes um governo perfeito e aumentando-o. E esta é ainda uma das razões por que o Senhor deu tanto império aos romanos; porque se amavam e viviam em concórdia no princípio. E embora esta não fosse caridade sobrenatural, contudo era boa e natural, e Deus a recompensou com bens temporais. Se, pois, os cidadãos de Florença se amassem mutuamente com caridade natural e sobrenatural. Deus lhes multiplicaria os bens espirituais e temporais.

Quarto, seria necessário que praticassem a justiça, porque a justiça liberta a cidade de homens maus ou os faz manterem-se no temor, e os bons e justos tornam-se superiores, porque de bom grado são eleitos para o poder por quem ama a justiça; eles são iluminados por Deus na confecção de todas as boas leis e são causa de todo o bem da cidade. Esta, por tal motivo, fica repleta de virtudes e a virtude é sempre premiada pela justiça, e multiplicam-se os homens bons, os quais prazerosamente reúnem-se onde habita a justiça. Por este motivo, Deus dilata o império, como fez aos romanos, aos quais, por serem rigorosos na prática da justiça, concedeu o império do mundo, querendo que os povos de tão vasto governo fossem dirigidos com justiça.

Os cidadãos florentinos deveriam, portanto, considerar diligentemente, e com o juízo da razão, que não lhes convém outro governo que não aquele que lhes propusemos, e com fé deveriam crer que tal governo lhes foi dado por Deus, e deveriam observar estas quatro coisas preditas. Fazendo isto, não há dúvida que, em pouco tempo, este governo se tornaria perfeito, quer pelos bons conselhos que fariam em conjunto, nos quais Deus os iluminaria sobre o que procurassem fazer, quer porque os haveria de iluminar de modo especial pelos seus servos, mostrando-lhes particularidades que eles não conseguiriam encontrar por si mesmos. E teriam um governo de paraíso, obtendo muitas graças tanto temporais quanto espirituais. Mas se não quiserem acreditar que este governo lhes foi dado por Deus, nem que lhes é necessário, e se não temerem a Deus, e não amarem o bem comum, mas seguirem suas próprias vontades; e se não se amarem mutuamente, mas permanecerem sempre em divisões; e se não praticarem a justiça, o governo instituído por Deus haverá de permanecer e eles juntos se consumirão, e serão pouco a pouco consumidos por Deus, sendo dada a seus filhos a graça deste governo perfeito. Deus já deu sinal da sua ira, mas tais pessoas fecham os ouvidos; por isso Deus os punirá neste mundo e no outro, pois neste mundo viverão sempre inquietos de mente, cheios de paixões e tristezas, e no outro estarão no fogo eterno, porque não quiseram seguir o lume natural da razão, a mostrar-lhes que este era seu melhor governo, nem o lume sobrenatural, do qual viram os sinais. Uma parte daqueles que não se conduziram retamente neste governo, mas sempre se mostraram inquietos, já padecem no presente as penas do inferno. Assim, pois, ó florentinos, tendo vós visto que Deus quer que este governo permaneça, não se mudando apesar de tantas contradições que se lhe contrapuseram dentro e fora, e tendo os impugnadores do governo sido ameaçados pelo Senhor com tantas punições, rogo-vos, pelas entranhas de Nosso Senhor Jesus Cristo, que agora procureis aquietar-vos, porque, se não o fizerdes, deixará cair sobre vós flagelos que jamais mandou contra os antepassados, e perdereis tanto este como o outro mundo. Mas, se o fizerdes, conseguireis as felicidades que descreveremos nos capítulos seguintes.

CAPÍTULO III – A felicidade de quem bem governa. A miséria dos tiranos e seus seguidores

Sendo, pois, tal governo mais de Deus do que dos homens, ganharão a felicidade terrena, a espiritual e a eterna aqueles cidadãos que, com grande zelo da honra de Deus e do bem comum, observando as normas acima indicadas, se esforçarem quanto puderem para levá-lo à perfeição.

Em primeiro lugar, haverão de libertar-se da servidão do tirano, da qual já descrevemos acima qual seja o tamanho; haverão de viver em verdadeira liberdade, nesta liberdade que é mais preciosa que o ouro e a prata; estarão seguros em suas cidades, voltando-se para o governo de seus bens, a seus ganhos honestos e a seus poderes, com alegria e tranquilidade na mente. E quando Deus lhes multiplicar os haveres e honras, não terão medo que lhes sejam tirados. Poderão ir à vila ou onde quiserem, sem pedir licença ao tirano; poderão casar seus filhos e filhas como quiserem; poderão realizar núpcias, alegrar-se e ter os companheiros que quiserem; poderão dedicar-se às virtudes, ou ao estudo das ciências e das artes, do modo que quiserem, tal como poderão fazer outras coisas semelhantes que representarão uma certa felicidade terrena.

Em segundo lugar, haverá de ser conseguida a felicidade espiritual, porque cada um poderá dedicar-se ao bem-viver cristão, e nisto não será impedido por ninguém. Ninguém será constrangido por ameaças a não fazer justiça quando esta existir nos magistrados, pois cada um será livre. E ninguém será constrangido, por pobreza, a fazer contratos prejudiciais, pois, sendo bom o governo da cidade, haverá abundância de riquezas e de trabalho, os pobres ganharão o suficiente e seus filhos e filhas serão bem-nutridos. Farão leis para proteger a honestidade das mulheres e das crianças e principalmente para multiplicar o culto divino. Vendo sua boa intenção, Deus lhes mandará bons pastores, pois, como dizem as Escrituras, Deus dá os pastores segundo as ovelhas, e sem empecilhos estes pastores poderão governar as suas ovelhinhas. Multiplicar-se-ão os bons sacerdotes e bons religiosos, e com isto não haverá lugar para os maus, porque um contrário repele o outro. E assim, em pouco tempo, a cidade será conduzida a uma vida de tanta religião que se tornará como que um paraíso terrestre, onde se viverá em júbilo, cantos e salmos. Os meninos e meninas serão como anjos e juntos nutrir-se-ão no viver cristão e no civil; para eles, no devido tempo, o governo haverá de tornar-se mais celeste do que terrestre, e será tanta a alegria dos bons que deste modo terão uma certa felicidade espiritual.

Em terceiro lugar, por este governo merecerão não somente a felicidade terrena, mas também aumentarão grandemente seus méritos e crescerá sua coroa no céu, pois Deus dá o prêmio supremo a quem governa bem a cidade. Acontece que a felicidade é o prêmio da virtude e quanto maior é a virtude do homem e maiores obras pratica, tanto maior prêmio merece. Como, pois, é maior virtude governar a si e aos outros, e principalmente uma comunidade ou um reino, do que governar somente a si mesmo, segue-se que governar bem uma comunidade merece um prêmio muito grande na vida eterna. Por isso vimos que em todas as artes se dá maior pagamento ao chefe, que tudo dirige, que aos servos: na arte militar o capitão recebe soldo maior que os soldados; na arquitetura o mestre e o arquiteto são mais bem-pagos que os trabalhadores manuais; e o mesmo se dá nas outras artes.

Além disso, é tanto mais meritória a ação do homem quanto é mais excelente, mais honra a Deus, e é de utilidade ao próximo. Por isso, não resta dúvida que merece prêmio excelente e grande glória aquele que governa bem uma comunidade, principalmente uma como a cidade de Florença, visto que governá-la é obra excelente, que resulta em grande glória de Deus, em grande utilidade para almas e os corpos e em bens temporais para os homens, pelo que se pode facilmente deduzir a partir do que dissemos acima.

Do mesmo modo, vemos que quem dá uma esmola ou alimenta alguns pobres é grandemente premiado por Deus, pois o nosso Salvador diz que no dia do Juízo se voltará para os justos e lhes dirá: "Vinde, benditos de meu Pai, possuir o reino que nos foi preparado desde o princípio do mundo, porque, quando tive fome e sede, e estive nu e fui peregrino, vós me alimentastes, vestistes e recebestes, e me visitastes quando estive enfermo; porque aquilo que fizestes a um de meus menores, foi a mim que o fizestes". Se, pois, pelas esmolas particulares haverá de compensar de tal forma a cada um, que prêmio haverá de dar a quem governar bem uma grande cidade, pois através de tal governo inúmeros pobres são alimentados, cuida-se de tantos miseráveis, defendem-se as viúvas e as crianças; tiram-se das mãos dos potentes e dos iníquos as pessoas que de outro modo não poderiam defender-se da força deles; o país é libertado dos ladrões; os bons são defendidos; mantêm-se o bem-viver e o culto divino, e outros infinitos bens são praticados.

Do mesmo modo, o semelhante ama a seu semelhante, e tanto mais é amado por ele quanto mais a ele se assemelha. Como todas as criaturas são semelhantes a Deus, são também amadas por Ele. Mas como umas lhe são mais semelhantes do que outras, são também mais amadas. Ora, como aquele que governa é muito mais semelhante a Deus do que aquele que é governado, é manifesto que, se governa justamente, é mais amado e premiado por Deus no governar do que nas ações de quando não governa. Quem governa corre maior perigo e tem maiores fadigas de corpo e de mente que quem não governa, por isso merece maior prêmio.

Ao contrário, quem quer ser tirano é infeliz neste mundo. Em primeiro lugar, tem a infelicidade terrena, pois não pode gozar das riquezas devido às muitas aflições de ânimo, temores e preocupações contínuas, e principalmente porque precisa gastar demais para poder manter-se no poder. Querendo manter a todos sujeitos, acaba ficando sujeito a todos, devendo servir a todos para conquistar-lhes a benevolência. Além disso, é privado da amizade que é dos maiores e mais doces bens que o homem pode ter neste mundo; não tem amizade porque não quer ninguém semelhante a si, tem medo de todos e principalmente porque o tirano é quase sempre odiado devido aos males que faz. E se é amado pelos maus, não é porque queiram bem a ele, mas porque amam aquilo que desejam arrancar dele e, por isso, entre tais indivíduos não pode haver verdadeira amizade. Também não goza de boa fama e de honra devido aos males que pratica e por ser sempre odiado e invejado pelos outros. Jamais consegue ter algum consolo sem tristeza, pois sempre tem que pensar e temer, devido às amizades que possui, motivo pelo qual vive sempre em temor e não confia nem nos guardas que tem. Além disso, vive também na infelicidade espiritual, porque encontra-se privado da graça de Deus e de todo o seu conhecimento. Acha-se circundado por pecados e por homens perversos, que o seguem sempre e o fazem precipitar-se em muitos erros, como indicamos acima. Por fim, terá também a infelicidade eterna, porque o tirano é quase sempre incorrigível, quer pela multidão dos pecados que se vê que cometeu, e nos quais criou hábitos tão fortes que é difícil deixá-los, quer porque tem que restituir tanta coisa mal havida e refazer tantos danos feitos, que teria que ficar na miséria. Ora, cada um pode imaginar como uma coisa destas é difícil a quem está acostumado a viver em tanta soberba e tantas delícias. Também é incorrigível devido aos aduladores que tem, os quais lhe tiram a gravidade dos pecados e mesmo lhe dão a entender que é bom o que é mau; entre os aduladores encontra também os religiosos tíbios que o confessam e o absolvem demonstrando-lhe que é branco o que é preto. Contudo, é infeliz neste mundo e irá para o inferno no outro, onde terá pena gravíssima, maior que a dos demais, quer pela quantidade de pecados que cometeu e fez os outros cometerem, quer também pelo ofício que usurpou. Assim como quem governa bem é altamente recompensado por Deus, assim, quem é mau governante é sumamente punido.

Todos os que seguem o tirano participam de suas misérias, tanto nas coisas temporais como nas espirituais e eternas. Por isso, perdem a liberdade, que se acha acima de todos os tesouros, além de perderem os bens e a honra; os filhos e a esposa encontram-se em poder do tirano; vivem sempre mais imitando os pecados do tirano, porque se esforçam por fazer tudo aquilo que agrada a ele e por assemelhar-se a ele o mais que podem. Com isto, serão participantes de sua pena no inferno.

Enfim, todos os cidadãos que não estão contentes com o governo civil, embora não sejam tiranos, porque não o conseguem ser, contudo participam destas mesmas infelicidades, ficando sem riquezas, honras, reputação e amizade, porque a eles se juntam todos os cidadãos necessitados e os maus, o que os obriga a muitos gastos; por outra parte, são evitados pelos bons e não têm verdadeira amizade com ninguém, mas cada um que os segue procura roubar-lhes algo; devido às más companhias fazem milhares de pecados, que em outras companhias não fariam; vivem com o coração inquieto, estão sempre cheios de ódios, de inveja e de murmurações, e acabam tendo o inferno neste mundo e no outro.

Como dissemos, quem governa bem é feliz e semelhante a Deus, e infeliz e semelhante ao demônio quem governa mal. Por isso, todo o cidadão deve deixar o pecado e os próprios afetos, e esforçar-se por governar bem, conservar, aumentar e tomar perfeito este governo civil, para honra de Deus e salvação das almas, principalmente porque este governo foi dado de modo especial por Ele, pelo amor que tem por esta cidade, a fim de que ela seja feliz neste mundo e no outro, pela graça de nosso Salvador Jesus Cristo, rei dos reis e senhor dos senhores, o qual, com o Pai e o Espírito Santo, vive e reina nos séculos dos séculos. Amém.

Notas de rodapé

1. SAVONAROLA, G. "Prediche sopra l'Esodo", apud por RIDOLFI, B. *Vita di G. Savonarola*, Roma, 1952, p. 334.

2. MACHIAVELLI, N. *Lettere*, Roma, 1982, p. 29-30. Sobre a relação entre Maquiavel e Savonarola cf.: SASSO, G. *Niccolò Machiavelli*, Bologna, 1980, cap. I. WEINSTEIN, D. "Machiavelli and Savonarola". In: *Studies on Machiavelli*. Florença, 1972.

3. DE SANCTIS, F., apud GARIN, E. *La cultura filosófica del Rinascimento Italiano*. Florença, 1979.

4. Um exemplo disso é o debate entre dois biógrafos de Savonarola: Villari e Schnitzer. Os dois discutem sobre a importância de Savonarola para o processo de renovação de Florença e da Igreja, sem deixar se influenciar pela ideia de que Savonarola foi um homem totalmente sem sintonia com seu tempo. Apesar do rigor de suas pesquisas, a posição de Burckhardt, segundo a qual Savonarola tinha um método infantil de raciocinar e era incapaz de compreender as ideias novas que circulavam em seu tempo, foi muito mais influente e ganhou a adesão de muitos historiadores. Cf. VILLARI, P. *La Storia di Girolamo Savonarola e de' suoi tempi*. Florença, 1859-1861. • SCHNITZER, J. *Savonarola*. Milão, 1931 [trad. Ernesto Ruzzi]. • BURCKHARDT, J. *The Civilization of the Renaissance in Italy*, Londres, 1981.

5. Para um estudo da transição da Idade Média para o Renascimento cf. GARIN, E. *Moyen-Age et Renaissance*. Paris, 1989.

6. RIDOLFI, R. Op. cit., p. 14-15.

7. Apud GARIN, E. *La cultura filosófica del Rinascimento Italiano*, p. 196.

8. "Ne le man di parata è gionto il sutro;
A terra va San Pietro;
Quivi lussuria ed ogne preda abunda,
che non so como il ciei nonsi confunda".

SAVONAROLA. *Poesie*, apud WEINSTEIN, D. *Savonarole et Florence*. Paris, 1973, p. 86.

9. Annio di Viterbo era o nome pelo qual era conhecido o pregador dominicano Giovanni da Viterbo (1432-1502), que, misturando leituras bíblicas com astrologia, previu a vinda do Anticristo para 1484, junto com a invasão turca. Cf. THORNDIKE, L. *A History of Magic and Experimental Science*. Vol. IV. Nova York, 1934, p. 264-290.

10. WEINSTEIN, D. Op. cit., p. 95-96.

11. Savonarola dizia de si mesmo que ele não era muito dotado para a pregação, não tendo "ne voce, ne petto, ne modo di predicare", e que suas falas desagradavam àqueles que vinham escutá-lo. SAVONAROLA, G. *Prediche sopra l'Esodo.* Roma, 1955, vol. I, p. 50 (Sermão de 11 de fevereiro de 1498).

12. Antonino, Antonio Pierozzi (1389-1459), foi arcebispo de Florença, amigo de Cosimo de Médicis e do Papa Eugênio IV. Foi conhecido por sua simplicidade e fé, tendo sido canonizado em 1523.

13. SAVONAROLA, G. *Compendium Revelationum*, reproduzido por WEINSTEIN, D. Op. cit., p. 76-80.

14. WEINSTEIN, D. Op. cit., cap. VIII.

15. Cf., por exemplo, os versos de Braccio Bracci, que em 1375 cantava a liberdade Florentina:

"Firenze or ti rallegra or ti conforta
che D'o t'ba dato si mobile stato
ch'e nati tuoi ciascun somiglia cato
in suscitar liberta ch'era morta".

In: *Poesie minori del secolo XIV.* Bolonha, 1867.

16. BARON, H. *The crisis of the early Italian Renaissance.* Princeton, 1960.

17. "Distenderassi tua potentia a Roma
et parte harai di quella
che la Chiesa novella Tel consente
serai cum lei daccordo plenamente.
In perfecta amistade
Cosi tucte tue strade fienos
Partirassi el pastor dela corte
Donde uso distare
Verrasi arisposare Nella città fiorita
Crescera la città per piú miscere

Di richezza e d'havere
staranno in placere et buono stato".

Apud WEINSTEIN, D. Op. cit., p. 69.

18. SAVONAROLA, G. *Compendium Revelationum,* p. 78.

19. Sobre a questão da profecia em Savonarola, cf. GRANADA, M.A. *Cosmologia* - Religión y Política en el Renacimiento. Barcelona, 1988, p. 74-156.

20. SAVONAROLA, G. *Prediche sopra Ageo.* Roma: Ed. L. Firpo, 1965, p. 2.

21. Idem., p. 2.

22. Ibid., p. 24.

23. GRANADA, M.A. Op. cit., p. 104-120.

24. Id., p. 121-135.

25. SAVONAROLA, G. *Compendium Revelationum*, p. 79.

26. Id., p. 80.

27. SAVONAROLA, G. *Prediche sopra Aggeo*, p. 166.

28. Id., p. 255.

29. Ibid., p. 224.

30. Ibid., p. 226.

31. Ibid., p. 422.

32. Cf. PARNETI, I. *Genesi e formazione del pensiero político di Girolamo Savonarola*. Ferrara, 1950.

33. BARON, H. Op. cit., cap. 1, 2, 3.

34. Sobre Rinuccini cf. GARIN, E. *L'umanesimo Italiano.* Bari, 1986.

35. Cf. GARIN, E. *La cultura Filosófica del Rinascimento Italiano*, p. 201-212.

36. WEINSTEIN, D. Op. cit., p. 297-303.

37. Id., p. 300.

38. SAVONAROLA, G. *Tratado sobre o regime e o governo da cidade de Florença*, I, 2.

39. Id., II, 2.

40. Ibid., II, 3.

41. Ibid., II, 3.

42. Ibid., III, 3.

Vozes de Bolso

- *Assim falava Zaratustra* – Friedrich Nietzsche
- *O príncipe* – Nicolau Maquiavel
- *Confissões* – Santo Agostinho
- *Brasil: nunca mais* – Mitra Arquidiocesana de São Paulo
- *A arte da guerra* – Sun Tzu
- *O conceito de angústia* – Søren Aabye Kierkegaard
- *Manifesto do Partido Comunista* – Friedrich Engels e Karl Marx
- *Imitação de Cristo* – Tomás de Kempis
- *O homem à procura de si mesmo* – Rollo May
- *O existencialismo é um humanismo* – Jean-Paul Sartre
- *Além do bem e do mal* – Friedrich Nietzsche
- *O abolicionismo* – Joaquim Nabuco
- *Filoteia* – São Francisco de Sales
- *Jesus Cristo Libertador* – Leonardo Boff
- *A Cidade de Deus* – Parte I – Santo Agostinho
- *A Cidade de Deus* – Parte II – Santo Agostinho
- *O conceito de ironia constantemente referido a Sócrates* – Søren Aabye Kierkegaard
- *Tratado sobre a clemência* – Sêneca
- *O ente e a essência* – Tomás de Aquino
- *Sobre a potencialidade da alma* – De quantitate animae – Santo Agostinho
- *Sobre a vida feliz* – Santo Agostinho
- *Contra os acadêmicos* – Santo Agostinho
- *A Cidade do Sol* – Tommaso Campanella
- *Crepúsculo dos ídolos ou Como se filosofa com o martelo* – Friedrich Nietzsche
- *A essência da filosofia* – Wilhelm Dilthey
- *Elogio da loucura* – Erasmo de Roterdã
- *Linguagem corporal em 30 minutos* – Monika Matschnig
- *Utopia* – Thomas Morus
- *Do contrato social* – Jean-Jacques Rousseau
- *Discurso sobre a economia política* – Jean-Jacques Rousseau
- *Vontade de potência* – Friedrich Nietzsche
- *A genealogia da moral* – Friedrich Nietzsche
- *O banquete* – Platão
- *Os pensadores originários* – Anaximandro, Parmênides, Heráclito
- *A arte de ter razão* – Arthur Schopenhauer
- *Discurso sobre o método* – René Descartes
- *Que é isto – A filosofia?* – Martin Heidegger
- *Identidade e diferença* – Martin Heidegger
- *Sobre a mentira* – Santo Agostinho
- *Da arte da guerra* – Nicolau Maquiavel

- *Os direitos do homem* – Thomas Paine
- *Sobre a liberdade* – John Stuart Mill
- *Defensor menor* – Marsílio de Pádua
- *Tratado sobre o regime e o governo da cidade de Florença* – J. Savonarola
- *Primeiros princípios metafísicos da Doutrina do Direito* – Immanuel Kant
- *Carta sobre a tolerância* – John Locke
- *A desobediência civil* – Henrry David Thoureau
- *A ideologia alemã* – Karl Marx e Friedrich Engels
- *O Conspirador* – Nicolau Maquiavel
- *Discurso de metafísica* – G.W. Leibniz
- *Segundo Tratado sobre o governo civil e outros escritos* – John Locke
- *Miséria da Filosofia* – Karl Marx
- *Escritos seletos* – Martinho Lutero
- *Escritos seletos* – João Calvino